مُباع   Verkocht

Hans Hagen

Verkocht مُباع

Met tekeningen van Philip Hopman

Amsterdam Antwerpen
Em. Querido's Uitgeverij BV
2007

Liefste, wees niet bezorgd om mij
ik zal bessen eten op de terugtocht

uit een lied van de Zwartvoet-indianen

Inhoud

1	Zoet	7	حلو	١
2	Zout	29	مالح	٢
3	Zand	53	رمل	٣
4	Stof	67	غبار	٤
5	Zweet	95	عرق	٥
6	Tranen	123	دموع	٦
7	Hout	143	خشب	٧
	Krant	166	جريدة	

Naast de titels en de cijfers staat de vertaling in het Arabisch

1 Zoet حلو ١

1

'Zorg goed voor mijn zoon, hij is pas vier.' Mijn moeder
duwde me naar voren.
'Nee mama, ik wil niet! Niet doen!' Ik klemde me vast aan
haar been.
'Ik wil niet met Asnar mee. Ik ken hem niet eens. Hij kijkt
vals. Hij stinkt!'
'Maak het niet moeilijker dan het is,' zei mijn vader. 'Jij
bent onze redding en onze rijkdom, we hebben geen keus.'
Hij wurmde mijn handen los en dwong me één klein stapje te doen. En nog een. 'Ga nou maar, het moet!'
Dat waren de laatste woorden die ik hoorde. 'Het moet!' Ik
kreeg een por in mijn rug en struikelde voorover. Asnar

ving me met zijn ene hand op, met de andere gaf hij het
geld aan mijn vader. Die gaf het meteen door aan mijn
moeder, alsof hij zijn vingers eraan brandde.
De koop was gesloten.
Ik probeerde me los te rukken en weg te rennen. 'Ik wil
hier blijven. Laat me los. Los!'
Ik schopte tegen Asnars schenen, maar mijn blote voeten
waren zo klein. Hij tilde mij met een zwaai van de grond
en gooide me over zijn schouder. 'Ik behandel hem als
mijn eigen zoon,' zei hij en droeg me als een zak zand naar
de auto.
'Mamá!'
Mijn moeder staarde naar het geld in haar hand, vieze vod-
jes gekreukeld papier. Ze keek pas weer op toen Asnar mij
ruw op de achterbank plantte en het portier dichtsloeg.

9

'Má-máá...'
Asnar startte, de auto hobbelde de weg op. Een vrachtwa-
gen met stro moest uitwijken.
Tóé-óét...
Het leek of mijn moeder wakker schrok, of het toen pas tot
haar doordrong hoe erg ik haar zou missen.
Ze zwaaide – ik schreeuwde.
Ze stak haar handen naar mij uit – ik drukte de mijne
tegen het harde glas.
Met haar ronde buik holde mama de auto achterna tot het
theehuis. Ik trok aan de hendel, maar het portier zat op
slot.
Ze riep. Ik hoorde niks, maar ik las de woorden van haar
lippen: kom terug...
'Wacht! Ik wil eruit!'
'Bek houden!' snauwde Asnar. Hij trapte het gaspedaal in,
de auto schoot naar voren.
Mama viel op haar knieën langs de kant van de weg. Ze stak
haar armen naar me uit, alsof ze me terug wilde trekken.
Een paar geldbriefjes wapperden de lucht in – papa vloog
er snel achteraan. Toen hij alles gevangen had, probeerde
hij mijn moeder overeind te helpen.
Ik riep: 'Stop!'
Maar Asnar reed gewoon door. Hij slingerde om een kuil
heen, zand spatte op.
Pè-èè-èèp!
Asnar hield de claxon ingedrukt omdat hij de vrachtwagen
met stro wilde passeren. Pas na lang toeteren ging de
chauffeur opzij. De motor gierde en gromde, en daarna
waren papa en mama in een stofwolk verdwenen.
Asnar stak een sigaret op. We raasden langs ezelkarretjes,
langs de put waar het water omhoog werd gepompt door

de blinde kameel. Dag in dag uit trok het beest een balk in de rondte. Tot ver in de omtrek was het knarsen en kraken van het houten scheprad te horen.

Vroeger ging ik vaak met mijn zusje Noor bij de kameel kijken. We plukten haren uit zijn vlokkige vacht om mijn bal op te vullen, en we voerden de kameel hooi omdat hij zo mager was. Ik vond hem zielig – het spoor waarin hij liep, sleet steeds dieper uit.

'Over een tijdje steekt alleen zijn kop nog boven het zand uit,' zei Noor.

'Dan klim ik op zijn rug.'

'Mooi niet. Als je in die greppel valt, word je vertrapt.'

'Maar ik hou me goed vast aan een bult of een oor.'

'Hij ziet niks, hij loopt gewoon over je heen als je daar ligt.'

Ik klom op de balk die door de kameel werd rondgetrokken. Noor danste erachteraan, dat kon ze toen nog...

Pèp pèè-èèèp!

Asnar toeterde zo lang, het deed pijn aan mijn oren. De eerste keer dat ik in een auto zat, vond ik het een vrolijk geluid. Toen wou ik zo lang mogelijk rijden, nu wilde ik er alleen nog maar uit.

Ik duwde mijn gezicht tegen het raampje. Het meer van Manchar was nog even te zien. De woonboten met hun hoge voorkant. De lemen hutten op de eilandjes... In één van die hutten was ik geboren. Daar woonde ik. Daar hoorde ik dat ik op reis zou gaan, maar niet dat het de volgende ochtend al zou gebeuren. Als ik dat had geweten, was ik gevlucht.

Noor bracht me bijna elke avond naar bed met een verhaaltje dat ze zelf verzon. Over een witte reiger die niet durfde
te vliegen en daarom trip-trip-trippend op trektocht ging
– hij werd wereldkampioen op één poot staan. Of ze vertelde over een banaan die na elk hap groeide en een kom rijst
die nooit leeg raakte. Of over een meisje dat hoge salto's
kon maken en danseres werd, en dat meisje was zij dan.
Maar het verhaal van de smid vond ik het mooist, dat wilde
ik steeds opnieuw horen.
'Er was eens een smid,' begon Noor dan. 'Zoals altijd zat hij
langs de kant van de weg te wachten op klanten. Op een
dag kwam er een meisje naar hem toe, een mooi meisje op
een spierwit paard. Ze hield een gouden ring in haar hand.
"Kunt u hem iets groter maken?" vroeg ze. "Hij past me
niet meer." Ze gaf de ring aan de smid en legde haar hand
in de zijne, zodat hij de maat kon nemen. De man staarde
naar de slanke vingers van het meisje, naar haar hals, en
toen naar haar gezicht. Niet eventjes, maar heel lang. Hij
sloeg zijn ogen niet neer zoals het de gewoonte is, en hij
vergat dat hij moest meten.
Dit is geen gewoon meisje, dacht de smid, dit is een echte
prinses!
Die teentjes...
Die voeten...
Die sierlijke kuiten...
Haar ogen en lippen...
Haar vrolijke wangen...
Die grappige neus!'
Noor raakte bij mij alles aan wat ze noemde. Dat kriebelde

fijn, vooral op het laatst, dan wreef ze zacht over mijn oor.
Wat een schoonheid, dacht de smid, ik wil met haar trouwen. Zij is mijn liefde, bij haar wil ik zijn.
En hij stelde zich voor dat hij rijk was en ook op een paard zat en dat de prinses hem dan kuste...
Terwijl de smid wegdreef in een zoete dagdroom pompte zijn arm aan de blaasbalg maar door en door. De luchtzak ging open en dicht. Het vuurtje werd heter en roder en toen... toen liet hij de ring in de gloeiende kolen vallen.
TINGK!
Het paard deinsde terug voor de opschietende vonken, het steigerde en sprong in galop. De smid schrok van de ratelende hoeven. Hij wou de ring grijpen, maar dat had hij beter niet kunnen doen.'
'Waarom niet?' vroeg ik elke keer weer.
'Zijn gezicht kwam te dicht bij het razende vuur. Zijn snor schroeide weg. De blaren sprongen op zijn lippen. Prinses, help me, wilde hij roepen. Kom me redden! Maar hij kreeg zijn kaken niet van elkaar – zijn gouden kiezen waren door de hitte gesmolten, ze zaten aan elkaar vastgeplakt in zijn mond.
Terwijl het meisje in de verte verdween stamelde hij: "Elleb mu pjinses, kommu reddu..."
Maar er was niemand die hem verstond. De prinses keerde niet terug en sinds die dag heeft de smid geen woord meer gezegd.'
'En de ring?'
'Die loste op in het vuur als suiker in thee. Net als de dag, Yaqub, die verdwijnt in de nacht. En nu moet je gaan slapen.'
'Bijna. Wil je dat stukje van die vingers en die voeten nog eens doen, en dan hééél lang kriebelen bij mijn oor?'

Meestal deed Noor dat, want met mij spelen was beter dan riet splitsen of manden vlechten. En dan suizelde ik weg terwijl zij zachtjes zong: 'Slaap zoet, Yaqub, slaap zoet.' Maar een tijdje voordat Asnar mij kwam halen, veranderde alles. Dat kwam door het rieten dak van onze hut. Het zat vol muizennesten en was zo lek als een vergiet. Noor klom naar boven om de bossen riet te verschuiven. Op de dikste balk probeerde ze ook even op één been te gaan staan, net als de reiger in haar verhaal.

Het lukte.

Heel kort.

'Kijk eens, Yaqub.'

'Niet doen, Noor!' riep ik. 'Nééé...'

Ze wankelde – ze zei dat het door de wind kwam en niet door mijn schreeuw... ik hoop dat het waar is. Haar armen klapwiekten door de lucht maar vonden nergens houvast. Noor gleed van de balk. Ze viel dwars door het dak en land- de half op een tafeltje, tussen rietstengels en muizen. Ik hoorde iets breken.

'Au au, mijn benen!' schreeuwde Noor.

Ik rende naar haar toe. 'Niet huilen, ik ben bij je.'

'Mijn benen... Niet kijken Yaqub!'

Maar ik keek toch. De botten staken dwars door het vel – het leken wel geknakte stengels suikerriet. Ik voelde aan mijn eigen schenen hoeveel pijn het deed.

Het duurde lang voordat er een dokter was gevonden. Hij vroeg mama's laatste gouden kettinkje als loon, toen pas spalkte hij Noors benen en gaf hij wat pillen tegen de pijn. Maar Noor kreeg koorts. De wonden begonnen te zweren en te etteren. De spalken moesten eraf – ze krabde en wreef... Haar benen groeiden krommer dan bananen, met vieze bulten rondom. Na een paar maanden waggelde Noor over het erf als een manke eend. Ze liep nog moeilijker dan de man met één been.

Omdat Noor niet goed meer op ons landje kon werken, droeg papa haar naar het theehuis om te bedelen. Dan lag ze daar in het zand met ontblote knobbelbenen en een uitgestoken hand.

Als Noor 's avonds terugkwam, kroop ik bij haar in bed.

'Voorzichtig Yaqub.'

'Doet het pijn?'

'Een beetje.'

'Heb je veel geld gekregen?'

'Nog niet, maar over een tijdje gaat het beter. Dan hebben we genoeg om een dokter te betalen. Dan komt alles weer goed.'

'Echt waar?'

'...'

'Hé Noor, weet je nog een verhaaltje?'

'Morgen weer, broertje, nu ben ik te moe. Ga maar lekker liggen. Slaap zoet, Yaqub, slaap zoet.'

'Yaqub is lenig en sterk,' fluisterde papa de avond voor mijn vertrek. Hij dacht dat ik sliep, maar de honger hield me wakker, en ik wilde weten wat de vreemde man kwam doen. Ik verstond elk woord. 'We geven Yaqub mee. Het kan niet anders.'

'Maar Yaqub is pas vier,' zei mama.

'Bijna vijf. Hij is slim en zo soepel als riet.'

'Yaqub is precies groot genoeg,' zei Asnar. 'Niet te licht, niet te zwaar. Zulke jongens kunnen ze goed gebruiken bij de kamelenraces.'

'Maar in de woestijn is het heet,' protesteerde mijn moeder.

'Hier ook.'

'En rijden op een kameel is heel erg gevaar...'

'Welnee,' zei mijn vader, 'dat leert hij toch zo! Die blinde kameel bij de put is zijn vriend.'

Even bleef het stil, toen hoorde ik iets rammelen. Voordat ik kon bedenken wat het was, zei Asnar: 'Deze kans krijg je maar één keer. Wat hebben jullie Yaqub nou te bieden?'

'Een familie,' antwoordde mijn moeder.

'Ha! Daar kan hij zijn maag niet mee vullen. Jullie hebben al een zoon aan de honger verloren.'

'Dat is waar,' zei mijn vader. 'En kijk eens naar je buik: binnenkort komt er weer een kind bij. Hoe moet het dan? Het meer is leeggevist. Die magere kippen van ons hebben we op moeten eten. Bij de steenbakkerij verdien ik bijna niks.'

'Daarginds is alles in overvloed,' zei Asnar. En toen begon hij over het geld. Dat mijn vader en moeder elke maand drieduizend roepies zouden krijgen voor mij.

'Zoveel, echt waar?'

'Misschien wel tienduizend als jullie Yaqub een race wint. Stel je eens voor wat je daar allemaal mee kunt doen. Groente en vlees.

Je schulden afbetalen.

Dit ouwe krot oplappen...'

'Of eindelijk een eigen woonboot bouwen,' zei mijn vader. 'Maar eerst gaan we naar een echte dokter met Noor, hoeft ze niet meer te bedelen. Ik begin te geloven dat Asnar door de grote Kalandar wordt gestuurd. O Kalandar, vrede zij met u, klopt het dat u onze gebeden toch nog verhoort?' Kalandar is al honderden jaren dood, maar hij wordt nog steeds als een heilige vereerd. Hij ligt begraven in een prachtige moskee. Met papa en mama ben ik bij het graf geweest om te bidden voor Noor. Heen en weer in een auto naar Sehwan – de enige ritjes die ik heb gemaakt voordat ik met Asnar mee moest. Mama vertelde onderweg dat Kalandar als een adelaar kon vliegen. 'Soms reed hij op een leeuw door de stad, en de stok in zijn hand was een slang...'

'Echt waar?'

'Zo wordt het verteld, al achthonderd jaar lang.'

Zoiets moois als het graf van Kalandar had ik nog nooit gezien. Het leek op een hemelbed. De pilaren waren van zilver en met edelstenen versierd. Op het donkerrode fluweel lag een kroon.

'Is dit een koning?' vroeg ik aan mama.

'Een heilige,' antwoordde ze toen. 'De mensen komen hierheen om zijn zegen te vragen.'

'Wat is dat?'

'Dat je een wens mag doen. Als je geluk hebt, wordt hij verhoord.'

'Dus eigenlijk is hij een tovenaar?'

'Laten we het hopen,' zei mama.
We gingen bidden in de moskee en offerden geld. Maar toen we Noor bij het theehuis ophaalden, waren haar benen nog net zo knoestig en krom, en er lag bijna geen cent in haar hand...

Vanuit mijn bed hoorde ik datzelfde rammeltje weer, iets harder en ongeduldiger, en ineens herkende ik het geluid: een doosje lucifers!
'Nou?' vroeg Asnar, 'wat doen we?'
'Ik weet het niet,' zuchtte mama.
Ik dacht aan Kalandar. Kon hij echt toveren? Kon hij ervoor zorgen dat papa mijn gedachten hoorde?
Geef mij niet weg, papa!
Niet nu.
Niet later.
NOOIT!
'Als je niet wil, houdt het op,' zei Asnar. 'Jongens genoeg, ik vraag net zo lief een ander.'
Gelukt, dacht ik, Kalandar helpt deze keer wel!
Maar toen zei papa: 'Nee, nee... tienduizend roepies per maand, zoveel verdienen we niet eens in een jaar!'
Na die woorden kon Asnar het laatste duwtje geven:
'Geloof me nou maar, Yaqub krijgt het goed daarginds. Mijn eigen zoon Javed doet ook mee aan de races en er zijn nog veel meer kinderen die werken als jockey. Je zou wel gek zijn als je deze kans liet lopen. Binnenkort zijn jullie rijk en loopt Noor weer te dansen. Sigaret?'
'Graag,' zei papa.
'Laat maar weten wanneer al jullie wensen vervuld zijn,' zei Asnar. 'Dan breng ik Yaqub weer terug, ik zweer het bij de Profeet.'

Er werd een lucifer afgestreken.

Afgehandeld.

Streep eronder.

Ik was verkocht.

Waarom deed die stomme Kalandar niet wat ik vroeg? Had hij mij niet gehoord? Was hij net aan het vliegen? Door een slang gebeten? Neergestort?

Toen Noor bij het theehuis lag te bedelen, had ze een keer
een stompje potlood gevonden. Ik mocht ermee tekenen
op oude stukjes krant en karton en papier. Het was net
toveren.
'Kijk eens Noor, wat mooi.'
'Prachtig. Wat stelt het voor?'
'Een bootje.'
'En die lijntjes daar?'
'Een muis! Dat zie je toch wel?'
'O ja, natuurlijk, het nieuwste model. Geef eens.'
Met de punt van het potlood maakte Noor wat lijntjes en
krullen.
'Wat is dat?'
'Ik schrijf mijn naam. Daar staat Noor, heb ik van iemand
bij het theehuis geleerd.'
Schrijven? Ik kon het niet geloven, papa en mama konden
het niet eens. Zoiets leerde je op een school, en daar kon-
den wij niet naar toe.
'Noor, hoe doe je Yaqub?'
'Weet ik nog niet, vraag ik de volgende keer.'
Maar daar was het niet meer van gekomen. Dat potlood zat
in mijn zak. Het was alles wat ik bij me had toen ik vertrok.

We reden langs herders met kuddes geiten en schapen,
langs waterbuffels en witte reigers, langs modderpoelen
waar jongens in visten.
'Ik moet plassen.'
'Straks,' zei Asnar.
Ik kneep mijn benen tegen elkaar. 'Maar... ik moet nu.'

Asnar stopte in de schaduw van hoge palmbomen en deed de deur van het slot. Ik rende naar een greppel en trok mijn broek omlaag. Het liefst was ik doorgelopen, maar Asnar hield me goed in de gaten. Hij kon natuurlijk veel harder lopen dan ik – vluchten had geen zin.

Verderop sjokte een os heen en weer over een grote berg korenaren. Boeren schepten graankorrels op en gooiden ze omhoog. De wind blies het kaf weg, de korrels vielen terug op de grond. Ik wou dat die mannen mij konden helpen. Dat ze mij ook de lucht in gooiden en dat de wind me dan optilde en terugblies naar huis.

'Ben je klaar?'

'Bijna.' Ik veegde mijn blote voeten droog met wat zand en wilde naar de auto gaan. De os begon klagend te loeien. Het leek of hij me waarschuwde: als je instapt, ben je nog verder van huis...

'Kom je zelf of moet ik je halen?'

'Ik... ik wil naar Noor.'

'Stap in!'

Ik kroop op de achterbank en Asnar gooide mijn deur dicht. Voordat hij de auto startte, zei hij: 'Yaqub?'

'...'

'Heb je honger?'

Ik knikte naar zijn ogen in het spiegeltje. Hij gaf me een stuk suikerriet, en ik begon hard op de stengel te kauwen. Ik had nog niets gegeten die dag. Het smaakte heerlijk zoet, veel beter dan potlood.

5

We werden ingehaald door een volgepropte bus, zelfs op
het dak zaten mannen en schapen. Asnar maakte er meteen
een wedstrijdje van.
'Hou je vast!' en met een wijde boog scheurde hij de bus
weer voorbij.
Om de beurt haalden Asnar en de buschauffeur elkaar in,
steeds harder, steeds wilder. Toen het gevaarte de tweede
keer langs ons heen stoof, hing er een jongen half uit de
deuropening. Hij stak zijn hand op, ik zwaaide terug.
De derde keer klom de jongen soepel omhoog tegen het
trappetje aan de zijkant van de bus om kaartjes te verkopen
aan de mensen op het dak. Maar terwijl wij naast de bus

naar voren raceten, dook er ineens een vrachtwagen op.
Recht voor ons. Razendsnel kwam het ding dichterbij.
Remmen! dacht ik.
Botsing.
Dood...
Pas op het allerlaatste moment gaf Asnar toe dat inhalen
niet kon. Hij liet het gaspedaal los, we zwiepten opzij: de
dood donderde gierend voorbij. Er waaiden dikke spetters
tegen onze voorruit.
'Regen!' riep ik.
'Schapen,' zei Asnar, 'die beesten op het dak van de bus
staan te zeiken.' Hij zette de ruitenwisser aan en trapte
toen hard op de rem omdat de buschauffeur plotseling
stopte.
We slipten.

Net voordat we tegen de achterbumper klapten, stonden we stil. Ik gleed van de bank en knalde met mijn hoofd tegen de stoel. Het suikerriet vloog uit mijn handen. 'Stomme eikel,' riep Asnar, 'zijn remlichten zijn verrot.' Hij draaide het raampje omlaag. Ik hoorde de chauffeur van de bus tegen iemand schreeuwen: 'Ga aan de kant, de grote weg is niet voor kakkerlakken zoals jij!'

Door het geraas en getier heen klonken vrolijke belletjes. Dzjing-dzjing, dzjing-dzjing...

Midden op de weg reed een wagen beladen met hooi, getrokken door een kameel. De bellen aan de banden om zijn voorpoten rinkelden. Dzjing-dzjing, dzjing-dzjing...

Toen de kar iets opzijging, slingerde de bus zich er woest langs en verdween in de verte. Ik zag hem daarna nog één keer in de berm, met de motorkap open. De chauffeur was druk aan het sleutelen, de passagiers zaten in de schaduw, alle schapen stonden te grazen.

De jongen van de kaartjes zwaaide niet terug toen we hem pè-pè-pepperend voorbijreden op weg naar Sehwan.

Door nauwe straatjes kwamen we uit bij de markt. Asnar parkeerde de auto naast een kappersstoel. Er werd een man geschoren terwijl een jongen zijn schoenen poetste. Langs kraampjes met koek en snoep liepen we naar de blauwe moskee. Ik herkende de muzikanten met de enorme trommels bij de ingang. Hun stokken sloegen een opzwepend ritme. Dong ta-ka-dong, dong-dong ta-ka-dong... Mannen en vrouwen dansten weer om elkaar heen, steeds sneller, steeds feller. Als veertjes in de wind zwierden ze rond. Ik wou dat Noor naast mij stond, dat zij dit zag, dat zij kon meedoen op haar hoepelbenen.

Asnar tikte mij aan en stak zijn hand uit. Eigenlijk wilde ik naar de dansers blijven kijken en lekker mee wiegen. Maar toen dacht ik aan het eten dat hij mij had beloofd. Mijn honger won: ik gaf hem een hand en samen gingen we de poort door.

'Je praat met niemand,' had hij gezegd voor we uit de auto stapten. 'Je blijft netjes naast me lopen. En vanaf nu zeg je "papa" tegen mij.'

'Maar mijn papa is thuis.'

'Je zegt papa tijdens de reis en anders niks! Begrepen?' Hij haalde de sigaret uit zijn mond en wees ermee naar mij.

'Ja,' fluisterde ik snel.

'Ja wat?'

'Ja pa...pa...' Het woord viel als uitgekauwde stukjes vlees uit mijn mond.

'Goed zo. Als je precies doet wat ik zeg, krijg je straks iets lekkers te eten.'

'Wat gaan we doen dan?'

'Bidden, om hulp vragen.'

Hulp? Dat kon ik wel gebruiken. Ik was een heel eind van huis en ik wou zo snel mogelijk terug.

Over het grote plein liepen we naar de zaal in de moskee waar Kalandar begraven lag. Asnar kuste het hoofdeinde van het graf en mompelde: 'Grote Kalandar, u helpt de armen. Kijk ons vriendelijk aan. Verlicht de weg tijdens de reis. Heilige Kalandar, laat ons als vader en zoon gaan.' Aan alle zijden van het graf herhaalde hij die woorden. Ik zei stilletjes iets heel anders en hoopte dat Kalandar deze keer wel deed wat ik vroeg.

Asnars wens kwam bijna meteen uit. Die van mij pas jaren later.

Asnar draaide de rugleuning van zijn stoel omlaag en trok een dekentje over zich heen. 'Welterusten.'

'Welterusten.'

'Je vergeet een woord.'

'Welterusten... papa,' fluisterde ik, maar ik bedoelde: stinkzak! pispot! stommerik!

Ik paste makkelijk op de achterbank, maar het duurde lang voordat ik in slaap viel die nacht. Voor het eerst sinds maanden had ik een volle kom rijst met kip gegeten. Hongerig had ik alles naar binnen geschrokt en daarna was mijn maag gaan rommelen.

Niet alleen de buikpijn, ook het gesnurk en gerochel van Asnar hield me wakker. En ik miste de geluiden van thuis, van het kabbelende water en de vogels op het meer.

Maar Noor miste ik nog het meest. Zou ze ook wakker liggen nu? Kon zij wel slapen deze eerste nacht zonder mij? Ik drukte mijn handen tegen mijn oren en dommelde pas weg toen ik Noors stem dacht te horen: 'Slaap zoet, Yaqub, slaap zoet.'

٢   مالح   Zout   2

Toen ik wakker werd, hoorde ik een motor brommen. Ik
snapte niet waar ik lag, tot ik Asnars hoofd weer zag.
'Waar zijn we?'
'Bij Karachi.'
'Zo ver?' Ik keek mijn ogen uit.
Tijgers, leeuwen, giraffen en apen.
Kamelen, adelaars, vliegende paarden...
Ik zag een hele dierentuin, in felle kleuren op vrachtwa-
gens geschilderd. Ik wou dat ik zo mooi kon tekenen.
De auto's stonden voor een controlepost te wachten tot ze
de stad in mochten. Asnar reed langs de rij en stopte bij een
slagboom. Een soldaat met een groot geweer keek even

door het raampje. Ik hoopte dat hij ons terug zou sturen.
Dat hij tegen Asnar zei: breng die jongen naar zijn familie,
anders gooi ik je in de gevangenis. Maar hij gebaarde dat
we erdoor mochten.
Asnar reed de stampvolle stad in. Politieagenten probeerden het verkeer te regelen. Ze zwaaiden en floten, maar
niemand trok zich er iets van aan. Knetterende riksja's,
motoren en bussen schoten rakelings voorbij. Iedereen
drukte door, kroop voor. Toeteren, remmen, roepen. Ik
wist niet waar ik kijken moest.
Kraampjes met plastic slippers.
Karren met bananen, met wortels, met noten.
Flats, moskeeën, minaretten.
Winkels met kleden en kleren en dozen.
Een bedelaar zonder benen.

Een broodmager paard voor een loodzware kar – het beest werd met een zweep afgerost omdat het niet verder wou lopen.

En mensen, straten vol mensen.

Karachi was een enorme stad, dat had Noor wel eens verteld. 'Zo groot als het meer?' vroeg ik haar.

'Vééél groter. '

'Zijn er ook boten?'

'Natuurlijk, het ligt aan de zee en in die zee wonen...'

'Vissen!'

'En dolfijnen met spitse snuiten, die komen je redden als je hulp nodig hebt. Ze lachen naar je en maken salto's in de golven. Ze staan op hun staart, of ze zwemmen voor de grap met je mee.'

Stilstaan.

Optrekken.

Afremmen.

Zigzag door de stad heen... Volgens mij was Asnar de weg kwijt, kon hij de uitgang niet vinden. Maar ineens doken we een klein straatje in. Asnar parkeerde de auto bij een garage. 'Mooi op tijd,' zei een man met pikzwarte handen, 'ze vertrekken vannacht. Wat heb je deze keer meegebracht?' 'Een jongen.' Asnar haalde weer wat papiergeld tevoorschijn, gaf het tegelijk met de autosleuteltjes aan de man, en daarna holde ik door een wirwar van donkere steegjes achter hem aan. Naar links, naar rechts, weer rechts... Ik werd doodmoe, maar ik durfde niet stil te staan of te vluchten. Waar moest ik in mijn eentje naartoe? In die grote stad zou ik verdrinken. Er was niemand die ik kende. We draafden langs afval, langs walmende auto's en smeulende vuurtjes. Ik wilde even stoppen bij een oude man die koekjes verkocht, hij keek me vriendelijk aan, maar ik moest door, door... Tot de straten breder werden en ik weer lucht zag. We staken treinrails over en toen hoorde ik meeuwen krijsen, net als thuis. We liepen langs een kade met vissersboten en voor het eerst rook ik de zee.

Asnar bleef staan bij een container. Hij pakte mijn kin beet, trok mijn hoofd iets omhoog. 'Als iemand vraagt hoe je heet, dan zeg je...'

'Yaqub.'

'Fout! Tijdens de reis heet je Javed, net als mijn zoon.'

'Maar mama en Noor zeggen altijd Yaqub.'

'Niks mee te maken. In mijn paspoort staat dat je Javed heet. En Yaqub of Javed, dat klinkt bijna hetzelfde. Even oefenen voor als we controle krijgen van de douane: hoe heet je?'

'Yaqu...'

'Nee! Zo moeilijk is het toch niet? Javed. Ja-ved! Dat kan je toch wel onthouden?' Asnar boog zich naar voren. De brandende sigaret in zijn mondhoek kwam gevaarlijk dichtbij, een roodgloeiend oog...

'Ja-ja...' hakkelde ik.

'Wat zeg je?'

'Ja-ja-javed.'

Ik moest het wel honderd keer herhalen: 'Ik heet Javed, ik heet Javed.' Tot het op het laatst vanzelf mijn mond uit rolde. Toen liepen we naar een verveloze boot aan het eind van de kade. Het dek was volgeladen met kisten die met dikke touwen waren vastgesjord.

Voor we aan boord gingen, legde Asnar zijn hand op mijn schouder. Zijn vingers klauwden hard in mijn vel.

'Hoe heet je ook alweer?'

Ik wou dat hij me losliet en zei snel: 'Javed, papa.' Het flapte er zomaar uit, alsof hij mijn echte vader was.

'Goed zo jongen, jij komt er wel.'

Die avond sloop de boot de haven uit. Het verkeerslawaai
van Karachi loste op in de golven. De lichtjes van de stad
werden kleiner en kleiner tot ze allemaal waren uitgeknipt.
Het water klotste tegen het benauwde hutje waarin ik
opgesloten zat. Ik hoorde voetstappen op het dek. Iemand
riep iets onverstaanbaars, en toen gaf de kapitein vol gas.
Dèng-dèng, dèng-dèng... dreunde de motor, en de reis over
zee begon.
Gelukkig was ik niet de enige die het land zag verdwijnen.
Er zaten al een jongen en een meisje in de hut toen ik naar
binnen werd geduwd. Het was wel gek in het begin, we
loerden naar elkaar, maar we zeiden niets.
Het meisje was net zo groot als ik, ze had mooi lang haar.
De jongen was kleiner. Zijn ene oog was dik en donker-
blauw, hij hield zijn hand er steeds voor. Met het andere
keek hij mij als een bang hondje aan.
Ik weet niet waarom, maar ineens riep ik hard: 'Piep!'
Hij schrok, maar het meisje zei gauw: 'Miauw.'
'Piep-piep.'
'Miauww... Ik ben Zareena, en dat is Babu. Hoe heet jij?'
In mijn hoofd hoorde ik Asnar roepen: 'Tijdens de reis heet
je Javed, net als mijn zoon.' Maar ik wou niet liegen en
daarom antwoordde ik snel: 'Piep, zeg ik niet!'
'Doe niet zo flauw.'
Ik schudde mijn hoofd.
'Toe nou.'
En aarzelend zei ik: 'Ya...ved?'
'Weet je het zeker?'
'Pie-iep! Hé Babu, doet jouw oog pijn?'

'Waf,' zei Babu toen, 'waf waf.' Verder niets.

We speelden boevenvangertje met een stuk touw, en tegen de avond staarden we met zijn drieën door het ronde raampje. De wolken vlamden felrood op, toen werd de lucht grijs en grauw, en daarna zo zwart als de zee. De maan lag op zijn rug en dreef met ons mee.

In het donker kropen we lekker warm tegen elkaar op de grote bossen touw. De boot klom tegen de golven omhoog, en zakte weer langzaam omlaag. Omhoog, omlaag...

Zareena en Babu konden er niet zo goed tegen, ik vond het een grappig gevoel – op ons meer waren ook wel eens golven, maar hier golfde het steeds.

'Pie-hiep,' gaapte ik.

'Waf waf, welterusten.'

'Mi...auww...' geeuwde Zareena. 'Hé piep, hoe heet je ook alweer?'

Bijna trapte ik erin, maar ik noemde mijn echte naam pas toen Babu en Zareena al sliepen.

De volgende ochtend voelde ik lange haren in mijn
gezicht. Ik dacht even dat ik naast Noor lag, maar toen ik
mijn ogen opendeed, herkende ik Zareena.
'Wat zie je?' vroeg ze.
'Water,' antwoordde Babu. Hij stond alweer bij het raam-
pje. 'Waar gaan we nou naar toe?'
Zij wisten het nog niet, ik wel. 'Naar de kamelen in de
woestijn.'
'Is dat ver?'
'Héél ver.'
Babu drukte zijn vuisten tegen zijn hoofd. 'Ik wil naar
huis.' Het verdriet druppelde uit zijn ogen, en ik snotterde
en snoof vanzelf met hem mee. Toen ik me na een tijdje
omdraaide, vroeg Zareena: 'Wat zijn dat voor witte vlekjes?'
'Waar?'
Ze wees naar mijn wang. Ik wreef erover en proefde. 'Het is
zout. Proef maar, jij hebt het ook.'
De hele reis zaten we met zijn drietjes in dat hok. Het
stonk naar de poepton, naar teer en nat touw. We plozen
het uit, gooiden ermee over, knoopten er grappige snorre-
tjes, staarten en poppetjes van. Ik tekende bootjes en vissen
op het hout en...
'Wat is dat voor beest?'
'Een pinguïn.' Ik had er wel eens een gezien op een auto
met ijs, Noor had me verteld hoe hij heette.
Om de beurt begon een van ons te huilen en dan begonnen
de anderen soms ook...
's Morgens en 's middags ging de deur op een kier. Een
vrouw met een scherpe neus en een scherpe kin gluurde

even om een hoekje om te kijken of we er nog waren. Ze
schoof kommetjes water en rijst naar binnen en deed de
deur weer op slot. Nooit zei ze iets aardigs.
De eerste keer durfde Zareena niet te gaan eten. 'Het ruikt
zo raar. Dat mens is een heks, misschien heeft ze alles beto-
verd.'
We wachtten tot de rijst bijna koud was geworden en
proefden voorzichtig één hapje.
Toen we na een uur nog geen bulten, bochels of puisten
kregen, schrokten we het tot de laatste korrel op.

5   ◐

Zareena en Babu kwamen uit hetzelfde dorp. Ze waren naar
het schip gesleept door een man en de heks van het eten.
'Ze hebben me gestolen,' zei Zareena.
'Hoe dan?'
'Ik liep gewoon op straat. Er stopte een auto naast me, die
vrouw vroeg de weg en toen werd ik vastgepakt en naar
binnen gesleurd. Het ging zo snel allemaal! Ik spartelde
nog tegen, maar ze duwde een doek in mijn gezicht en
daarna weet ik niks meer. Toen ik wakker werd, lag ik
hier.'
'Ik ook,' zei Babu. 'Die doek stonk heel erg, ik werd er mis-
selijk van. Ik was met een hondje aan het spelen en nu ben

ik mijn papa en mijn mama kwijt. Ik hoop dat ze me zoe... zoe...' Hij begon ineens te roepen en te gillen, harder en harder: 'Ik wil naar huis! Ik wil naar huis!' Hij schopte tegen de deur, rammelde aan de klink, sloeg wanhopig tegen het raampje en ook op zijn hoofd. 'Ik wil naar buiten! Naar bui-ui-te...'

'Sst! Doe niet zo driftig,' siste Zareena. 'Stil nou! Als ze boos wordt, slaat ze je weer.'

Maar Babu hoorde niks meer. Hij werd steeds wilder en schreeuwde maar door. Tot de deur openvloog en hem vol raakte. Hij sloeg achterover. Het bloed liep uit zijn neus, maar hij schreeuwde gewoon door: 'Ik... wil... terug!'

'Hou op!' riep de vrouw. 'Dit is nu al de zoveelste keer dat je loopt te krijsen!'

'Hij wil naar huis,' zei Zareena, 'en ik ook.'

'Dat willen we allemaal wel, maar het zal nog eventjes duren.'

'Maar...' Met zijn mouw veegde Babu het bloed van zijn kin. 'Maar niemand weet waar ik ben. Ik wil nú terug! Ik wil eruit!'

Hij stormde naar de gang. De vrouw kon hem nog net grijpen voor hij het trappetje op rende. Ze schudde hem woest door elkaar.

'Naar binnen jij, hou je koest!'

Babu probeerde zich los te wringen uit haar greep. Toen dat niet lukte, beet hij keihard in haar hand. De afdruk van zijn tanden stond er diep in.

'Au! Rotjong! God is mijn getuige, ik waarschuw altijd maar één keer.

Dit! Waag! Je! Nooit! NOOIT! Meer!'

Bij elk woord kreeg Babu een lel tegen zijn hoofd. Hij

vloog door de hut en daarna lag hij alleen nog maar zachtjes te kermen.
Zareena en ik gingen om de beurt even bij hem zitten. Hij
mocht mijn mooiste touwpoppetje hebben, maar hij werd
pas stil toen hij sliep.

Op een dag voer er ineens een ander schip naast ons. We zwaaiden door het raampje en schreeuwden 'Hier, hier...' omdat we dachten dat ze ons kwamen redden. Maar dat was niet waar. De mannen van de twee schepen waren bekenden van elkaar. Ze zwaaiden en riepen niet naar ons, maar naar hun vrienden.

Ik tekende een dolfijn op de wand. Toen stopte ik het potloodje in mijn mond. Mijn tanden stonden erin. Het rook naar thuis.

Ik verzon dat de twee boten tegen elkaar botsten en dat we zonken en dat die dolfijn ons dan vond. 'Wie wil je redden, Asnar en de heks of ons?'

En dan kwam de dolfijn naar Babu, Zareena en mij toe en kekkerde: 'Ik vind jullie veel leuker en liever en lichter. Vlug, ik zwem jullie terug.'

En dan bracht hij ons naar huis op zijn rug. We sprongen over de golven, we schoten door de zee. Ik zag hem op het laatst ook dansen op zijn staart bij het meer, en op de oever danste Noor met hem mee.

V

De dagen op zee waren allemaal hetzelfde.
Door het raampje naar de golven staren.
Koppeltjeduikelen.
Wachten op de heks met rijst.
Neus dicht op de ton.
Boevenvangertje met het touw.
Dromen van Noor.
Zwaaien naar de andere boot.
Tikkertje.
Piep, waf, miauw.
Dromen van thuis...
Op een ochtend ging de deur van de hut vroeg open.
'Opstaan!'
Het gezicht van Noor zeilde weg. 'Hè wat, waar zijn we...'
'Bijna aan het eind van de reis,' zei de vrouw. 'Hier, ik heb
iets lekkers te drinken.' De dag daarvoor hadden we geen
water gekregen en nu gaf ze twee flesjes aan Zareena en
Babu.
'Ik heb ook dorst.'
'Jij krijgt straks iets anders.'
Babu was nog helemaal slaperig. Hij dacht dat het limona-
de was en nam een grote slok. Zijn gezicht vertrok. 'Bwuh,
wat vies!' Hij wilde het uitspugen, maar de vrouw pakte
zijn kin beet en duwde zijn hoofd achterover.
'Doorslikken, álles! Zón-der knoeien! Nú!'
De vrouw lette scherp op dat Zareena en Babu de flesjes tot
op de bodem leegdronken. Ze moesten steeds kokhalzen.
Ik vond het zielig, maar ik was ook blij dat ik geen druppel
van dat spul hoefde.

'Braaf,' zei de vrouw toen alles op was. 'Ga maar rustig liggen. Tot zo.' En ze deed de deur op slot.

'Gadver, ghh... Wat bitter!' Zareena rilde. Ze stopte een stuk touw in haar mond en begon er hard op te kauwen.

'Helpt het?' vroeg ik na een tijdje, 'gaat die gore smaak weg?'

'Wat? Nee... een beetje...' Zareena keek me versuft aan.

Babu hing onderuitgezakt tegen de wand, zijn ogen knipperden en knepen.

Even later kwam de heks terug. Ze duwde de deur wagenwijd open. 'Mee!'

Ze sleurde de slaperige Zareena en Babu de smalle trap op. Ik stommelde erachteraan, blij dat ik eindelijk dat muffe hok uit mocht. Ik hield mijn hand voor mijn ogen. Het zonlicht beet, de lucht was knalblauw.

'Hierheen,' zei een stem boven mij. Op de stapel kisten ontdekte ik Asnar.

'Ik?'

'Nee, hij.'

'Ik... ik durf niet... zo hoog...' stamelde Babu sloom.

'Kom nou maar.'

Langzaam kroop Babu over de kisten. Er was een gat in de stapel gemaakt. Asnar wees naar beneden. 'Ga daar liggen!' Babu leek ineens weer klaarwakker. 'Nee, in die onderste kist ga ik dood!'

Asnars arm schoot uit. 'Stel je niet aan jongen, het is maar voor een paar uurtjes. Voor je het weet slaap je al, dan merk je er niks meer van. Stap in!'

Babu keek wanhopig naar Zareena en mij. Toen klauterde hij omlaag. Het was net of hij een trap afdaalde. Hij kromp bij elke tree, tot als laatste zijn hoofd verdween.

Asnar pakte een flesje. 'Neem nog maar een paar slokjes.'

'Ik heb... geen dorst... meer.'

'Niet zeuren! Goed zo. En ga nu maar lekker op dat kleedje liggen.'

'Maar...'

'Languit liggen tot je er weer uit mag.'

'Ma... ma...'

'Welterusten, we moeten jou eventjes kwijt.'

Asnar schoof een houten deksel op de kist en spijkerde hem dicht. De felle hamerslagen knalden in mijn oren. Ze overstemden het doffe geschreeuw van Babu. Er werd een kist op de zijne gezet, en nog een, en nog een, en toen hoorde ik alleen nog maar het gedèng-dèng van de motor en het gespetter van de zee.

Asnar liep naar de andere kant van de stapel. 'En hier is nog een mooi hol voor het meisje.'

Toen pas merkte ik dat ik heel hard in Zareena's hand kneep. Ik deed haar pijn, maar het was net alsof ze niks voelde. Loom klom ze naar boven, slokte haar tweede flesje leeg en verdween net als Babu in de berg hout.

Planken erop.

Hamer en spijkers.

Báng báng!

Kist op kist op kist.

Dekzeilen eroverheen.

De boel werd vastgesjord.

Allebei spoorloos, allebei weg.

Asnar gooide de hamer in een krat met gereedschap. 'Zo, die slapen. Van zo'n dubbele dosis valt zelfs een olifant om.'

'Ik hoop niet dat het té veel is,' zei de vrouw. 'Als die twee erin blijven, heb ik ze voor niks meegesleept.'

'Dat zien we straks wel. Eerst moeten we ze veilig langs de douane zien te loodsen. Javed, kom eens hier.'

Ik had niet meteen in de gaten dat hij mij bedoelde.
'Javed!'
Pátsj! Pétsj!
Tegelijk met de pijn van de klappen drong het tot me door:
ik ben Javed en ik ben alleen.

De rand van de mistige zee verkleurde.
'Land,' zei de kapitein, 'nog even en we zijn er.'
Waar? vroeg ik me af, maar dat zei hij er niet bij.
Alles werd langzaam helderder en groter. Lage struiken
groeiden uit tot palmbomen. Hutjes veranderden in huizen. En huizen bleken uiteindelijk torenhoge gebouwen te
zijn van spiegelend glas. Ik kon het goed zien, want ik
moest naast Asnar in de stuurhut zitten toen we met de
andere boot een brede zeearm op voeren. Het geluid van de

motor werd zachter – als vader en zoon gleden we het vreemde land binnen.

De kapitein meerde het schip af. Er kwamen mannen van de douane aan boord. Vluchtig keken ze in het donkere ruim en klopten ze op de lading kisten op het dek. Ze wrikten er een met een breekijzer open...

Ik voelde dat Asnar verstrakte.

Doorgraven! dacht ik.

Dwars door die berg heen!

Dan kom je vanzelf uit bij Zareena en Babu...

Maar de mannen in uniform lieten het bij die ene kist en vluchtten naar de schaduw van de stuurhut. Ze hadden het warm. Ze wilden thee en vonden het allemaal wel best.

Een douanier met een dikke snor controleerde de vrachtpapieren en de paspoorten. Ik weet bijna zeker dat ik geld tussen de blaadjes zag liggen toen de kapitein alles aan hem gaf. De man flodderde door het stapeltje heen, zette een handtekening en wat stempels en daarna was het geld weg. Hij zei ook nog iets tegen mij in die taal van hem waar ik helemaal niks van verstond.

Asnar knikte.

De man aaide even over mijn hoofd. Hij is aardig, dacht ik. Hij gaat me redden.

'Welkom in Dubai,' vertaalde Asnar.

Ga door! dacht ik.

Doe iets meneer!

Til me op!

Neem me mee!

Vraag waar ik woon!

Breng me terug!

Alstublieft...

De douanier kneep even in mijn wang, een beetje te hard,

en zei weer iets onverstaanbaars. 'Wat een geluk dat jij met je vader mee mocht,' vertaalde Asnar. 'Je boft maar dat je op onze edele kamelen mag rijden.'

Geluk... Die stomme druipsnor had beter naar mijn naam kunnen vragen. Misschien had ik dan geroepen: dit is mijn vader niet! Hé halvezool, ik heet Yaqub, dat paspoort liegt! Kijk nou eens goed: lijk ik op Asnar, nee toch? Blinde kip! Zie je dan niets?

Ik weet niet of het veel had uitgemaakt. Die vent van de douane wist heus wel dat er kinderen het land in werden gesmokkeld. Waarschijnlijk dacht hij: hoe meer, hoe liever. Hij verdiende eraan. Hij wou mij helemaal niet redden, maar zo snel mogelijk naar huis. Net als ik.

Vanaf het dek zag ik rode en blauwe taxibootjes heen en
weer varen. Ze brachten mensen van de ene kant van de
stad naar de andere, over de deinende golven. Aan een
spierwit gebouw tegenover ons schip hing een metershoge
foto van een man met een baard. Hoe langer ik naar hem
keek, hoe strenger hij leek.

'Dat is de emir,' zei de kapitein, 'en de emir is de koning
van dit land. Zijn volk zwemt in het geld en de olie. Ze
huren goedkope buitenlanders in om al het zware werk op
te knappen.'

'Heeft die meneer kinderen?'

'Een stuk of twintig. De emir heeft vijf vrouwen.'

'Is hij wel aardig dan?'

'Als je meewerkt wel. Wie weet ontmoet je hem ooit bij de
races. Als je een goede jockey wordt kom je, als God het wil,
misschien nog eens op een raskameel van de emir terecht.'

'Maar hij heeft van die stekelige ogen, ik weet niet of ik dat
durf.'

'Reken maar dat je dat durft, daar zorgt Asnar wel voor.'

'En Zareena en Babu?'

'Die...'

Ineens klonk er een schelle stem uit een luidspreker. De
kapitein hield op met praten. Vanaf de minaret werd er tot
het gebed opgeroepen. Ik herkende maar één woord:
'Allaah...' Het schalde over de stad.

De bemanning van het schip spreidde kleedjes uit. Ze
knielden op het dek en streken met hun handen over hun
gezicht. Met voorhoofd en lippen raakten ze de grond aan.
Ik dacht aan thuis. De mensen op het meer baden niet zo

vaak. Papa en mama eigenlijk nooit. Vonden ze het erg dat ik weg was? Wilden ze mij weer zien of waren ze me al vergeten? Noor zou aan me blijven denken, dat wist ik zeker.

KLIK!

Na de oproep tot het gebed werd de microfoon uitgezet. Stilletjes wachtte ik tot de stem van de imam helemaal was weggewaaid. Ik hoopte dat hij Babu en Zareena had wakker geroepen. Maar er klonk geen geschreeuw of gebonk, alleen het geruis van de wind.

Ik maakte me vooral zorgen om Zareena. Had ze die pluk touw nog steeds in haar mond? Was ze niet gestikt?

Op het heetst van de dag stopte er vlakbij het schip een glanzende auto met donkere ruiten. Ik kon pas zien wie er achter het stuur zat toen het portier openging. Een zware man in een lang, spierwit gewaad stapte uit en ik wist meteen dat hij mij kwam halen.

Hij heette sjeik Omar, hoorde ik later, en hij was een neef van de emir. Sjeik Omar had een witte doek op zijn hoofd. De zon weerkaatste in zijn spiegelende zonnebril.

Asnar en de kapitein knikten een paar keer naar de man in het wit. Toen begonnen ze met het verslepen van de kisten, net zo lang tot er twee uit de stapel waren gevist.

Openmaken! dacht ik. Kijk of ze nog leven!

Maar sjeik Omar riep iets vanaf de kade, dat het te lang duurde of zo, en toen werden de kisten snel achterin zijn luxe landrover gezet. Ik moest op de brede achterbank. Het rook naar leer. Asnar mocht voorin.

De kapitein zwaaide toen sjeik Omar de auto keerde, maar die deed net alsof hij niets zag. In plaats van terug te groeten met zijn hand vol gouden ringen gaf hij een flinke dot gas.

De weg was schoon en helemaal glad. Er pasten wel vier auto's naast elkaar op, en er was geen kuil te bekennen – heel anders dan bij het theehuis bij ons meer.

Er waaide een koude wind door de wagen. Ik kreeg kippenvel toen we langs de zeearm de stad in reden. Nóg verder van huis. Tot het laatste moment hoopte ik dat ik een dolfijn zou zien.

۳   رمل   Zand   3

We zoefden door de stad, en daarna over een breed, zwart
lint de vlakte in, langs rotondes met feestelijke bloemen en
knalgroen gras. De kleuren waren zo fel, alles leek wel van
plastic!
Bij een witte moskee draaiden we een stoffige zandweg op.
Links en rechts waren hoge hekken, honderden meters
lang. Er stonden rietmatten tegen het gaas. Vanaf de weg
kon je niet zien wat er daarachter gebeurde.
Sjeik Omar toeterde twee keer. Een poort zwaaide open en
viel achter ons weer dicht. Samen met een jongen tilde
Asnar de kisten uit de auto. De deksels werden losgewrikt
en...
Gelukkig, ze leefden!
Zareena en Babu knepen hun ogen dicht tegen het felle
zonlicht. Moeizaam en stijf kropen ze uit de kisten.
'Braaf,' zei Asnar, 'jullie hebben het gered. Zeg Sajib, is er
thee?'
Thee? Lekker! Ik stierf van de dorst.
Sajib, het hulpje van Asnar, rende naar een hut en kwam
met twee glaasjes terug, één voor sjeik Omar en één voor
Asnar. Wij kregen een plekje in de schaduw, verder niets.
'Hier blijven zitten,' zei Sajib. 'Straks...'
'Hé!' riep Asnar. 'Let eens op: de sjeik vertrekt.'
Sajib holde naar de poort. Sjeik Omar startte zijn auto en
reed weg. De deur ging op slot, en toen gingen Asnar en
zijn hulpje de hut in.
Wij waren alleen.
Ik keek om me heen.
Bovenop het hek zat puntig prikkeldraad.

'Heb ik lang gesla-áá-pen?' gaapte Zareena.
'De hele dag zo'n beetje.'
'Echt waar?'
'Ik dacht dat je dood was.'
'Nee joh... Hé, een kameel aan een paal, en daar nog een.'
'Het zijn allemaal jonkies...'
'Wat veel!'
Babu ondersteunde zijn hoofd met zijn handen. 'Waar zijn
we?'
'Ik weet niet precies. Ergens in de woestijn.'
'Mag ik iets drinken? Mijn keel doet zo'n pijn.'
De kamelen waren met korte touwen aan palen gebonden.
Ik liep naar een van de dieren toe om te kijken of er water
in zijn emmer zat, maar Asnar riep vanuit de schaduw van
de hut: 'Afblijven, Yaqub!' Toen wisten ze hoe ik heette –
hij verklapte mijn naam zelf.
'Maar Zareena en Babu hebben zo'n...'
'Ben je doof?'
'Wat?'
'Zet terug!'
Snel zette ik de emmer op de grond. Er klotste wat water
over de rand. Ik likte de druppels van mijn hand. Het
smaakte een beetje zout, maar dat maakte me niks uit. Elke
druppel was er één.

Urenlang zaten we te wachten. Ik maakte lijnen en krullen
in het zand, schreef Noor Noor Noor of zoiets, maar waarschijnlijk iets anders, iets wat nergens op leek.
We lieten zandkorrels door onze vingers glijden, maakten
er kuiltjes en bergjes van. We keken naar de kamelen en zij
staarden terug. Het liefst waren we ze gaan aaien, maar dat
durfden we niet.

'Wat een rare kamelen,' zei Zareena ineens.

'Waarom?'

'Ze hebben maar één bult.'

'Misschien groeit die tweede pas later...'

'Ik heb zo'n honger,' zei Babu. Hij gooide een handvol zand de lucht in, het waaierde over ons heen. Ik likte een paar korrels van mijn lippen. Het knarste tussen mijn tanden. 'Als elk zandje een rijstkorrel was, dan zaten we middenin een reusachtig bord eten.'

'Woestijnrijst, lekker, dan is er altijd genoeg.'

Zareena verdeelde de pluk touw die ze bij zich had toen ze de kist in ging. Als je er hard op kauwde, kreeg je wat speeksel in je mond. Het hielp een beetje tegen het holle gevoel van honger en dorst. Nou ja... Het was in elk geval beter dan niks.

Mijn eerste rit op een kameel was een ramp.

'Bijt ie echt niet?'

'Geloof me nou maar, Marhaba is een heel rustig beest. En als ze het toch probeert, geef ik een ruk aan de teugels.'

Sajib was iets ouder dan Noor. Hij wist alles van kamelen. Hij trok de rode zadeldeken recht en zei: 'Stap nu maar op.' De kameel keek mij strak aan; ik had niet het gevoel dat ze me zag: ze keek dwars door me heen, alsof ik een vuiltje was. Haar bek ging open en dicht.

'Ze heeft van die grote gele tanden...'

'Kom op!' Asnar tikte met de zweep tegen mijn been. Als ik nog langer wachtte, werd hij kwaad, dat hoorde ik aan zijn stem. En als hij kwaad was, gaf hij geen zachte tikjes meer, dan suisde de zweep door de lucht.

Ik klauterde snel in het zadel en de kameel ging meteen staan. Eerst duwde ze haar achterpoten omhoog – ik duikelde voorover en omarmde de bult.

'Hé ho...'

Daarna duwde ze haar voorpoten op.

'Haa...'

Als een jojo klapte ik weer terug en gleed van de rug af.

'Hé... help!'

Ik probeerde me nog vast te grijpen aan de deken.

Mis.

Aan de staart.

Ook mis.

En toen landde ik hard op de grond. 'Au au au...'

Marhaba keek me lodderig aan, alsof ze zeggen wou: waarom schreeuw je zo, wat lig je daar nou? En Asnar stond heel hard te lachen. Het was de eerste keer dat ik het meemaakte: als een ander struikelde of viel, had hij erg veel plezier.

Ik krabbelde overeind en wilde weglopen, maar Asnar riep: 'Hier!'

'Stommerd!' riep ik.

'Heb je het tegen mij?'

'Nee... tegen die mislukte kameel.'

'Hoezo? Marhaba doet het allemaal goed, schoenzool. Jíj moet alles nog leren. Les één: niet meebuigen, maar tegen de beweging in gaan! Als de kameel vooroverbuigt, ga jij achterover hangen, en andersom. Als je te stom bent om zoiets simpels te snappen, donder je er straks weer af. Begrepen?'

'Ja,' fluisterde ik.

'Altijd rechtop blijven zitten, zoals een boom op een berghelling staat, anders verlies je je evenwicht. Het ziet er grappig uit als je plat op de grond valt, maar zo win je geen races. Opstijgen, hop!'

Ik klopte mijn broek af en veegde het zand uit mijn gezicht. Toen Marhaba de tweede keer overeind kwam, klemde ik me met mijn benen vast.

Ik boog achterover.

Voorover...

Ik bleef keurig recht zitten. Als je eenmaal weet hoe het moet, is opstaan helemaal niet zo moeilijk. Eigenlijk is een kameel net een levende wip.

Sajib klakte met zijn tong tlok-tlok.
Ik wankelde toen Marhaba met schokkerige passen in
beweging kwam. Mijn vingers boorden zich diep in haar
vacht. Die eerste stappen zal ik nooit vergeten.
Ik reed op een kameel, een echte!
Ik voelde me een reus!
Babu en Zareena keken vanuit de schaduw toe, maar ik
wou dat Noor me kon zien! Ze zou trots op me zijn, dat
wist ik zeker. Maar ze zou ook bang zijn dat ik er weer van
af zou kletteren. Ze zou van alles roepen:
'Let op, Yaqub, hou je vast in de bocht!'
'Goed zo broertje!'
'Niet met losse handen, ook niet heel even!'
Asnar wou dat de kameel een beetje doorliep: 'Yalla yalla,
yalla yalla!'
Marhaba versnelde en het hobbelen werd erger. Rondje na
rondje reed ik langs het metershoge hek. Mijn benen
zwabberden wild heen en weer.
'Yalla yalla!'
Ik stuiterde als een vlo op en neer. Ik voelde me niet groot
meer, maar akelig klein. Ik dacht: Noor, help, dit is hele-
maal niet fijn. En toen sproeiden er ineens dikke tranen uit
mijn ogen.
Sajib stopte meteen.
'Wat is er,' riep Asnar, 'doet je kont nu al pijn?'
'Nee!' snikte ik. 'Ik wil eraf!'
Ik voelde me zo vreselijk ver van huis op de rug van dat
beest. Want ik probeerde me te herinneren hoe Noors stem
ook alweer klonk, maar ik kon hem nergens meer vinden.

'Yalla yalla, yalla yalla!'
Dat was het eerste Arabisch dat ik begreep. Elke keer als
Asnar het zei, begon Marhaba te rennen. Later riep ik het
zelf ook tijdens de races omdat ik wou winnen.
'Yalla yalla, sneller, schiet op!'
Maar eigenlijk maakte het mij geen barst uit hoe die taal
heette of waar ik gevangen zat. Het belangrijkste was dat ik
niet thuis woonde. Niet bij een meer, maar ver weg in een
kale woestijn.
Pè-pèp!
Aan het eind van de middag stopte er vaak een vrachtauto
voor de poort. Sajib maakte het hek open en de chauffeur
stuurde de tankauto met water de stal in. 'Stal', zo noemden ze de kale zandbak met kamelen binnen de rietmatten.
Maar voor ons was het gewoon een gevangenis. Alleen voor
trainingen en races mochten we eruit. Dan reden we op
onze kamelen achter Sajib aan naar de renbaan. Maar om
die kilometerslange baan stonden ook allemaal hekken,
van de start tot de finish.
De waterauto stopte naast de hut van Asnar en Sajib. De
chauffeur pakte een rubberen slang en vulde de roestige
tanks een voor een. Hij wees naar ons. 'Nieuw?'
Asnar knikte.
De waterman begon uitgebreid aan zijn kruis te krabben.
'Ook een meisje erbij, da's altijd leuk...'
'Als je maar van d'r afblijft.'
'En jij?'
'Hé, let op, draai die kraan dicht!'
De tank stroomde over. Het water gutste over de rand en

maakte een donkere plek in het zand. Ik wou dat ik daar op de grond lag.

Voordat de chauffeur wegreed, zwaaide hij even naar ons. We zouden hem nog heel vaak terugzien, krabbend en loerend.

Sajib vulde een plastic fles en wilde een tweede pakken, maar Asnar zei: 'Ho ho, één is meer dan genoeg voor die drie. Het is hier het hemelse paradijs niet.'

Er dreven allemaal donkere stukjes in de fles, maar daar proefde je niks van als je dorst had.

'Om de beurt een slokje,' zei Zareena.

We deelden eerlijk, zoals we alles met zijn drietjes deelden de eerste dagen toen Babu er nog was.

Marhaba betekent 'welkom', hoorde ik later. Achteraf vond ik het wel grappig dat ik heb leren rijden op een kameel met zo'n naam. Maar voor Babu betekende dat welkom meteen ook 'vaarwel'. Hij heeft maar een paar korte ritjes gemaakt.

Babu vond kamelen eng, ook de kleintjes. Toen we ze moesten voeren, gooide hij de plukken hooi van een afstand naar ze toe. Hij durfde er niet eens een te aaien. En voor die grote Marhaba was hij helemaal doodsbang.

'Hij heeft van die bolle ogen en zo'n rare kromme nek. Hij is eng.'

'Hij?' vroeg Asnar, 'zeg je hij tegen dit brave meisje?'

'Als ie me bijt, heb ik hele erge pijn. Straks schiet die kop ineens naar voren...'

'Joh, het is toch geen slang.'

'Maar hij heeft zo'n grote bek.'

'Jij ook,' zei Asnar. 'Kom eens naast me staan.'

Babu moest Marhaba aaien. Hij durfde het niet, maar Asnar pakte zijn kleine handen en duwde ze tegen de kameel aan. Ze gleden over de tatoeage aan de zijkant van Marhaba's hals. Krullen en lijntjes, volgens mij waren het letters.

'Wat staat daar?' vroeg Babu.

'Gewoon een plaatje,' zei Asnar, 'kan je zien van wie die kameel is.'

'Van wie dan?'

'Van sjeik Omar. Hij heeft een paar honderd kamelen. Jullie gaan erop racen. Je wordt jockey.'

'Ik ook?'

'Natuurlijk, jij ook. Waarom dacht je anders dat je hier was?
Trek je hand niet weg. Aaien!'
'Heb ik al gedaan.'
'Doorgaan! Marhaba vindt het fijn. Moet je kijken, ze knijpt
haar ogen dicht. Je mag zo een rondje rijden.'
'Ik wil niet.'
'Je hebt niks te willen.'

De eerste keer stuiterde Babu nog harder op en neer dan ik.
Hij schoof alle kanten op. Sajib moest steeds stoppen en
hem recht duwen. De tweede dag ging het nog slechter. Babu hield zich zo stijf
als een plank. 'Dat wordt niks zo,' zei Asnar. 'Sajib, pak de broek.'
Babu moest een speciale broek aantrekken. Er waren brede
stroken klittenband op de kont genaaid. Daardoor bleef hij
goed aan de zadeldeken plakken. Maar Marhaba werd
zenuwachtig van Babu's geschreeuw en begon meteen al te
rennen. Sajib had daar niet op gerekend. Het leidtouw gleed
uit zijn hand.
'Hou haar tegen!' riep Asnar. 'Sajib, de jongen...'
Het was een van de weinige keren dat Asnar zich zorgen om
een van ons maakte. Hij wilde niet dat er iets ergs met Babu
zou gebeuren, een gebroken been of zo, dan was er een dokter nodig en dokters kosten geld. En het was niet de bedoe-
ling dat Asnar geld aan ons uitgaf, wij moesten het juist
voor hem verdienen. Maar met Babu lukte dat niet zo best...
Marhaba rende opgefokt langs het hek. Babu schreeuwde
het uit: 'Ho ho hóó!'
En toen kwam de waterauto eraan. De uitlaat was kapot, de
motor knetterde. De chauffeur toeterde lang en knoerthard.
Marhaba sprong opzij, ze bokte woest door de stal. Sajib en

Asnar probeerden haar met een zweep een hoek in te drij-
ven, maar Marhaba draaide zich om en liep bijna dwars
door hen heen. Als een gek vloog ze tussen de jonge kamelen door. Het schuim stond op haar bek. En toen... toen
begon de zadeldeken te schuiven.
Babu kwam scheef te hangen, zakte verder opzij.
Hij wapperde even als een vlag aan een mast naast het dolle
beest, toen gleed hij door naar de buik.
Onder de kameel bleef hij hangen. Zijn hoofd schuurde
over de grond, vlak voor die grote, platte poten.
Marhaba rende langs de hut waar Asnar sliep, langs de
omheining. Stof wolkte op. Babu's hoofd stuiterde weg als
een van de poten hem raakte.

Zareena gilde.

We grepen elkaar vast.

Na een hele tijd pas stond de kameel stil. Met schokkerige passen liep ze naar de hooibalen toe, schoof haar kromme nek uit en trok achteloos een pluk los. Babu bungelde onder haar als een pasgeboren kalf. Zijn armen hingen doodstil, ze raakten de grond, het leek of hij een handstand maakte.

Met kalmerende woordjes liep Sajib naar Marhaba toe, pakte de teugel en zette het beest vast aan een touw.

Daarna trok hij Babu los van het zadeldek. Kratsj... Het klittenband scheurde.

Babu werd naast de kameel in het zand gelegd.

Opstaan! dacht ik. Babu, kom op! We moeten grapjes
maken: ik zeg 'piep' en jij 'waf waf'.
Sajib duwde zijn oor tegen Babu's borst. Toen wikkelde hij
de witte doek van zijn hoofd en legde die over Babu heen.
Eerst snapte ik niet wat dat betekende, of misschien wou ik
het niet begrijpen.
Babu slaapt.
Hij is moe.
Maar toen ze Babu optilden, vielen zijn armen slap omlaag.
Zijn hoofd knakte, en ik dacht aan de kippen die papa een
voor een slachtte... Ik werd zo boos! Ik hoefde nog niet te
huilen toen, dat kwam pas later.
Babu...
Vervloekte gore rotkameel!
Moordenaar!
Klotebeest!

In dezelfde kist als waarin Babu het land was binnenge-
smokkeld, verdween hij ook weer. Maar deze keer lag hij
als enige in de auto. Sajib en Asnar brachten hem de woestijn in. Waarschijnlijk hebben ze hem ergens tussen de
zandduinen begraven.
Ik kende Babu niet zo lang, maar toch vond ik het heel erg.
We hadden samen de reis over zee gemaakt. We waren
samen aangekomen in het griezelland.
De dag van het ongeluk keek Asnar nog kwader dan
anders. Hij stond met de zweep voor Marhaba.
'Stommeling,' hoorde ik hem sissen. 'Hebben we dat jong
helemaal voor niks hierheen gesleept.'

4   *Stof*   غبار   ٤

Ik woonde met Zareena en een stuk of twaalf jongens
in een container. De jongste was drie, de oudste tien.
's Nachts hadden we het ijskoud, er waren veel te weinig
matrassen en dekens. De grootste kinderen pikten die in.
Zareena en ik hoorden bij de kleintjes. We probeerden
warm te blijven met oude lappen en stukken zeil.
Bibberend van de kou kropen we dicht tegen elkaar aan op
een dun laagje stro. De vloer was van ijzer: mijn knieën,
mijn schouders, mijn heupen... Alles deed pijn. Ik sliep
slecht, het was zo hard.
Jaloers dacht ik aan de kamelen buiten. Die kregen
's avonds een deken en ze hadden ook nog eens een warme
vacht.
Op een keer riep ik tegen de groten: 'Wij willen ook een
stukje matras!'
'Zeur niet, jochie.'
'Ma... maar Noor zegt altijd: samen delen.'
'Heb je hem weer. Noor dit, Noor dat... Ga naar haar toe,
dan zijn wij van jouw gezeur af.'
'Zij kan haar naam al schrijven hoor.'
'Daar heb je wat aan als je hier zit.'
'Om de beurt een nachtje, goed?'
'Opzij, eraf!'
De oudsten schopten ons weg. Maar Javed lieten ze met
rust, die kreeg de beste plaats van iedereen. Niet omdat hij
de sterkste was, maar omdat hij de zoon was van Asnar,
onze meester. Javed had altijd eerste keus. Bij het slapen.
Bij het eten.
'Kies maar uit,' zei Sajib. Hij schudde een zak met oude

kleren leeg. Broeken, shirtjes, een glimmend blauw jack.

'Voor mij,' zei Javed.

'Maar jij hebt al een warme jas. Mag ik die?'

'Nee!'

En dan graaide hij ook nog de sportschoenen weg. Ze waren versleten, er zat een gat in een zool, maar dat gaf niks – iedereen wou die dingen graag hebben, ook al waren ze veel te groot.

Ik viste een paar afgetrapte slippers uit de berg – binnen een week waren ze stuk.

Toch wilde ik niet met Javed ruilen. Hij moest harder trainen en kreeg de meeste klappen. Asnar wilde zo graag dat zijn zoon een keer een kamelenrace won. Javed wou dat ook wel, maar bij de start verloor hij meestal al terrein. Hij durfde niet middenin een kluwen van vijftig onrustige kamelen te staan. Vijftig keer vier, dat zijn een heleboel poten...

'Op de eerste rij!' riep Asnar voor iedere race. 'Nooit voor een ander opzijgaan.'

'Dat probeer ik ook.'

'Niet proberen, gewoon doen!'

Maar Javed was te bang. Hij liet zich steeds naar de buitenkant duwen. Als het touw omhoogging bij de start, stond hij achteraan. Hij werd nooit kampioen.

De stal, het kale stuk zand van sjeik Omar, was ongeveer honderd stappen breed en zestig stappen lang. Naast ons, aan de overkant en langs de zandwegen in de buurt waren net zulke stallen, allemaal met kamelenjockeys in gore containers. Misschien wel duizend kinderen die voor de sjeiks moesten werken, allemaal ontvoerd of gekocht. De jockeys van sjeik Omar kwamen uit Pakistan, net als Zareena en ik. In de stal naast ons zaten kinderen uit Soedan, zei Sajib. Met eentje probeerde ik door de schutting heen wel eens te praten, maar we begrepen elkaar niet.

'Hoi, hoe heet jij?'

'Eeh?'*

'Heet je Eeh?'

'...'

'Ik ben Yaqub, snap je? Yá-qúb!'

'Eeh?'

'Ik eh... ik heb een grote zus, dus eh... heet jij echt Eeh?'

'Eeh?'

'Rare naam wel.'

'...'

'Ik ben YÁ-QUB. Zeg me maar na: YÁÁ-QÚÚBB.'

'...'

'Nou ja, dan niet.'

'Ismie Salih.'**

'Wat?'

'Is-mie Sa-lih!'

'...'

'IS-MÍÉÉ-SÁÁ-LÍH!'

'...'

Hij zei nog 'Mish moehiem'*** of zoiets, en ik 'Laat maar zitten'. En toen lachten we een beetje dom naar elkaar, als schapen. En als ik mijn tong uitstak, deed hij dat ook. Ook al spraken we een andere taal, één ding was hetzelfde voor ons: we zaten gevangen in de woestijn. 's Avonds laat vergrendelde Sajib of Asnar de deuren van onze container. Als je middenin de nacht heel nodig moest, probeerde je een van de emmers in de hoek te vinden. In het donker, op de tast, doodsbang dat je een schorpioen tegenkwam! Alleen bij volle maan kon je een beetje zien waar je liep, omdat er een gat in het dak geroest was. Meestal schopte je tegen iemand aan, of je stond per ongeluk bovenop een been of een hand.
'Au, kijk uit!'
'Sorry, ik moet...'
'Rot op.'
'Sst!'
Het stonk verschrikkelijk in die ijzeren cel. Iedereen piste over de rand van de emmer.

* Eeh = Wat
** Ismie Salih = Ik ben Salih
*** Mish moehiem (Miesj moehimm) = Laat maar zitten

Een rennende kameel ziet er best grappig uit. Kop naar voren, hoge poten.

'Moet je die lippen zien,' riep Zareena, 'die zijn te groot. Ze flapperen los op en neer.'

'Ze rekken uit door het rennen,' zei ik.

'Straks hangen ze als een blinddoek voor hun ogen, dan waaien die lelijke tanden bloot.'

'Sst,' zei Sajib. 'Lach die kamelen niet uit, daar houdt sjeik Omar niet van. Die beesten zijn een fortuin waard.'

Hij gaf ons twee gehaakte petjes, roze, rood en groen. 'Een soort muilkorven,' zei hij, 'tegen het bijten en lipflipperen. Bind ze maar om.'

De kamelenbekken pasten er precies in. Twee touwtjes in de nek, twee knoopjes...

'Geen gezicht,' giechelde Zareena. 'Een kameel met een bekpet. Wat stom!'

...en de zoveelste training begon.

'Aan de slag!' riep Asnar. 'Marhaba wacht.'

Ik hield een hand tegen mijn billen. 'Dat zadeldek is zo ruw, het schrijnt en schuurt. Ik wil niet meer.'

Voorzichtig trok ik mijn broek los. Mijn kont was één grote, etterende schaafwond. Lopen, zitten, liggen, alles deed zeer.

'Even doorbijten.'

'Maar mijn vel is stuk en mijn piemel doet pijn.'

'Er groeit vanzelf eelt op. In het zadel!'

En daar gingen we weer. Ik had het gevoel dat ik op glas-scherven zat. Mijn broek was bruin van opgedroogd bloed. Als ik eigenlijk niet meer verder kon, dacht ik aan Noor.

Zonder de roepies die ik verdiende, kwam er geen dokter en bleven haar benen knoestig en krom. Met bedelen haalde ze nooit genoeg geld op. Voor Noor moest ik doorgaan en races winnen.

Na maanden oefenen kon ik pas goed blijven zitten. Eerst alleen in stap, later ook als ik in een kudde kamelen over de renbaan vloog. Het was moeilijk om je evenwicht te bewaren. Aan een kamelenzadel zitten geen stijgbeugels, je kunt nergens op steunen. Als je even niet oplet, lig je op de grond. Sommige kinderen stuiterden vaak van een kameel af, daar hielp geen klittenband tegen. Asnar knoopte touwen om hun enkels, die maakte hij onder de buik van de kameel vast. Dat was veilig, totdat zo'n beest een keer struikelde en viel... Met een beetje geluk had je alleen gebroken armen en benen en werd je gillend van pijn weggebracht.

Vaak liep het slechter af. Heel wat kinderen gingen Babu achterna; die verdwenen stilletjes in de woestijn. Als er een kind uit onze stal verongelukte, kraste ik met een steen een poppetje in de wand van de container.

En als er te weinig kamelenjockeys waren, werden er gewoon weer wat nieuwe gehaald. Kinderen genoeg voor Asnar en sjeik Omar. Geld zat.

Aan het eind van een dag voetbalden we soms met zijn
allen in het zand. De bal was een prop hooi met een touw
eromheen. De doelpalen waren rietstengels. Als we partij-
tjes kozen, wilde iedereen bij Sajib.

'Yaqub, ik sta vrij!'

'Terug, Sajib, hier!'

'Doelpunt, joehoe!'

De jonge kamelen keken met grote ogen toe. Een klontje
zwetende kinderen, allemaal kaalgeknipt vanwege de lui-
zen – je moest goed kijken om te weten wie wie was. Ook
Zareena's lange haar was verdwenen.

Riaz zat als scheidsrechter langs de kant. Hij speelde nooit
mee, hij was te moe. Als iemand iets deed wat niet mocht,
floot hij hard op zijn vingers: ffuut-fuut!

'Goed zo, vrije trap voor ons.'

'Niet waar, au! Stomme oen!'

'Sorry Javed, ik wou jou niet raken, maar de bal, echt waar.'

'Doorspelen, 2-0.'

Het stof wolkte hoog op. Schoppen, lachen en gillen.

Ffúút!

'Kan het wat zachter?' riep Asnar vanuit zijn hangmat. 'Ik
probeer hier te slapen.'

'Opzij!' riep Zareena. Ze pakte de bal...

'Hands, strafschop.'

Riaz floot nog eens, hoog en schel.

'Hé, hou op!' Asnar kwam de hut uit gelopen. Hij sloeg een
hand voor zijn mond.

'Wat is er?' vroeg Sajib. 'Je kijkt zo moeilijk.'

'Mijn kiezen,' zei Asnar. 'Dat stomme geschreeuw. Ik verga

van de pijn... Zeg, hé hé hé, wat moet dat daar?'
Asnar keek naar het hek. Er torende een man met een kale
kop bovenuit met in zijn handen een enorm fototoestel.
'Sodemieter op jij,' brieste Asnar. 'Hondenzoon.'
De man richtte zijn lens – klik, klik, klik-klik-klik. Hij
zwaaide vriendelijk en verdween toen uit beeld. We hoorden een auto starten en wegrijden.
'Waardeloze toeristen,' mompelde Asnar.
Iemand schopte de bal per ongeluk zijn kant op. Hij gaf
het ding een kwaaie knal. Het vloog met een boog de lucht
in en spatte uiteen. Het touwtje en het hooi dwarrelden
nog even rond en ploften toen doelloos op de grond.
Floff...
Iedereen baalde. Asnar had pijn in zijn bek. Wij hadden
geen bal.

'Yaqub krijgt het goed daarginds,' had Asnar tegen mijn
vader en moeder gezegd.
Nou, mooi niet! We kregen nauwelijks te eten, en vlak voor
de races al helemaal niet.
'Hoe lichter je bent, hoe harder je kameel rent,' zei Asnar.
'Elke kilo erbij is ballast.'
Maar volgens mij valt dat wel mee. Kamelen zijn sterk. Een
paar slokjes water, dat maakt toch niks uit. Mijn benen
waren bamboestokken, ik woog bijna niets.
'Ik heb zo'n honger.'
'Wil je winnen of niet?'
'Jawel, maar...'
'Zeur dan niet. De winnaar krijgt een heerlijke maaltijd
met dadels en groente en mango en rijst.'
'En als het niet lukt?'
'Dan heb je pech gehad. Dan ben je te zwaar. Dan krijg je
nog minder te eten.'

Voor de start pakte Asnar een rol tape. Met grote stukken
plakte hij een walkietalkie op mijn borst vast, en ook bij
Zareena. Via die walkietalkies kregen we zijn aanwijzingen
tijdens de race. Trainers en eigenaren reden in auto's mee
langs de baan. Ze schreeuwden van alles in hun apparaten,
dwars door elkaar:
'Rustig blijven zitten, heel goed.'
'Let op, ga mee langs de reling!'
'Ja nu: de zweep!'
'Harder, harder, slááán!'
Eigenlijk raasden er twee kuddes rond: een kudde kamelen

en een kudde auto's op de binnenbaan. De bestuurders
toeterden en gilden hun jockeys naar voren, acht kilometer
lang. Maar er waren zoveel doodsbange kinderen – door
hun gehuil en gekrijs waren de aanwijzingen soms moei-
lijk te verstaan.
'Gha-gha-gha-gháá...'
'Hó hóó...'
'Mamáá...'
Roffelende poten.
Waaiers stof.
Opspattend zand.
Uitgehongerd deed ik mee aan de races. Met een groot
bord eten voor ogen joeg ik mijn kameel naar de streep.
'Yalla yalla, rennen, schiet op!'
Ik schreeuwde en schopte en sloeg met de zweep. Maar alle
jockeys riepen hetzelfde.
'Yalla yalla...'
'Hoppa, hoppa, hop hop hop!'
In het begin won ik nooit. Hoestend kwam ik over de
finish, ergens achteraan in de groep. Dadels of groente
kreeg ik niet binnen, wel grote wolken kurkdroog stof. Ik
voelde me zo stom: ik was daar voor Noor, maar als ik nooit
won...

Sajib kookte meestal voor Asnar. Wanneer de wind onze
kant op stond, roken wij precies wat ze aten.
'Geroosterd vlees,' zei Zareena, 'knoflook en ui.'
Ik deed mijn ogen dicht en schepte op. Kip, rijst en boon-
tjes... Een luchtige maaltijd zweefde door mijn mond. Ik
heb zo vaak alleen maar geur gegeten, alleen van eten
gedroomd.
Maar soms hadden we geluk, dan waren de restjes voor

ons. Of we konden wat voer van de kamelen kapen. Een hap alfalfa of klaver is best lekker, als je niets anders hebt. En wanneer we ons héél slap voelden, plukten we dorre stengels uit de schutting.

'Lekker,' zei Zareena, 'als je denkt aan suikerriet of maïs.'

Dat probeerde ik ook, maar het bleef roestig smaken.

Hongerig dromen van thuis. Kauwen en malen.

Uren-, dagen-, jarenlang!

De zon brandde maar door – eigenlijk hadden wij altijd ramadan.

6   ٦

Een paar keer per jaar was er een festival, dan moesten we
elke dag racen. Dat betekende nog harder trainen de weken
ervoor, nog meer honger en hoofdpijn en dorst.
Op weg naar de renbaan kwamen we steeds langs de rotonde met bloemen en gras. Bijna dag en nacht stonden er
sproeiertjes aan, waardoor er geen sprietje verdroogde. Die
bloemen werden beter verzorgd dan wij.
Met een tong van schuurpapier droomde ik soms dat ik
zo'n plantje was, dat ik stil op de grond lag en het water
mijn mond in stroomde.
Op een ochtend hielden Zareena en ik het niet meer. Asnar
sliep nog, dachten wij. Muisstil slopen we naar een water-

tank, maar toen hoorden we ineens zijn stem. We lieten
ons op de grond vallen en grepen elkaar vast.
Waar zat die engerd?
Wat moesten we zeggen als hij ons zag?
Zareena wees. Achter de hut lag Asnar op zijn knieën, met
zijn kont omhoog onze kant op.
'Hij bidt.'
We tijgerden weg door het stof.
'Grote God, draag mijn kamelen, kijk ze vriendelijk aan...'
kon ik net nog verstaan.
'Doen alle trainers dat?' vroeg Zareena toen we veilig
waren.
'Wat?'
'Bidden voor de races?'
'Lijkt me lastig kiezen,' antwoordde ik. 'Wie moet God
laten winnen als iedereen vraagt of hij zijn kameel even
stiekem een extra duwtje wil geven?'
'Nou, mij natuurlijk!' zei Zareena. 'En daarna jij. Om en
om nummer één. Ik-jij, ik-jij.'
'En Javed?'
'Die mag pas winnen als hij zijn matras en zijn jack en zijn
schoenen weggeeft, anders is het gemeen.'
Ik tekende een tang en een zaag in het zand en droomde
dat we uit die gevangenis konden ontsnappen. Ik droomde
van een omheining zonder prikkeldraad, van grote flessen
water.
'Ik heb zo'n dorst, Zareena. Zullen we dat stomme hek
omtrekken?'
'Hoe dan?'
'Met een touw en een kameel.'
'Goed idee. Waar is het touw?'

'Dat moeten we nog even vinden. Als ik een schaar had,
knipte ik dat gaas kapot.'
'Als ik vleugels had, kon ik vliegen...'
Maar we vonden geen touw en geen schaar en we vlogen
nooit op. En achter elke auto ging de poort met een ketting
op slot. Alleen Riaz lukte het één keer om te doen wat
iedereen wou: vluchten.

7

Riaz was ouder dan ik, maar kleiner. Na de training lag hij vaak kermend van pijn op de grond. Sjeik Omar bracht een keer een dokter mee die Riaz onderzocht.

'Racen is een prachtsport,' zei de dokter, 'maar niet elk lijf kan ertegen. Door het harde schokken gaan zijn nieren kapot. Misschien moet je die jongen een beetje ontzien.'

'Maar tijdens het festival heb ik alle jockeys nodig,' zei Asnar. 'Dan zijn er de hele week races. Riaz weegt het minst van iedereen.'

'Nou, zoals hij er nu aan toe is... Ik weet niet of je veel aan hem hebt. Dat joch is doodziek, ik hoop dat hij het redt.'

Riaz hoefde toen een paar dagen helemaal niets te doen en lag stilletjes op een matras. Niemand lette op hem en op een avond... toen was hij weg. Asnar miste hem pas toen hij ons naar de container bracht.

'Waar is Riaz?'

Iedereen zweeg.

'Riaz!'

Asnar dreigde met zijn zweep. 'Die ondankbare hond, waar zit hij? Vertel!'

Maar niemand van ons wist waar Riaz was. Asnar smeet met een knal de deur dicht en ging op zoek. Riaz was ontsnapt, wij zaten nog steeds in de val.

'Misschien is hij over het hek geklommen,' zei ik tegen Zareena. 'Of hij heeft een tunnel gegraven.'

'Een tunnel? Waarmee?'

'Met zijn handen. Zullen we morgen gaan zoeken?'

'En waar moeten we dan naartoe?' vroeg Zareena.

'Eerst naar de zee en dan naar huis.'

'Zwemmend?'

'Met een boot mee. Of we gaan naar de politie, die helpt ons vast.'

'Je bedoelt: die zét ons vast!' zei Zareena. 'We zien zo vaak agenten bij de renbaan. Ze weten dat wij gevangen zitten en altijd moeten werken, en toch laten ze al die vetsjeiks met rust.'

'Nou... dan... dus...'

'Dus de politie belt Omar en die belt Asss...' – ze geeuwde lang – '...Asnarrr en die eh...' – ze geeuwde weer – 'die rost je af en... gzuhh...'

'Nee joh! We zitten niet eeuwig hier. Toch? Op een dag zijn we vrij, denk je niet dat...'

Gzzhuh... deed Zareena, zzhhuh... Ze sliep.

Ik schoof iets dichter tegen haar aan vanwege de kou, maar slapen lukte slecht die nacht. Ik dacht steeds aan Riaz. Ik hoopte dat hij geluk had, dat hij iemand vond. En ik dacht steeds aan Noor. Ik wou best geld verdienen voor haar hoepelbenen, maar dat kon thuis toch ook, misschien... Als ik manden leerde vlechten, hoefde ze niet meer te bedelen. Als ik Riaz nou eens snel achternaging...

Maar de volgende ochtend bleek dat Zareena gelijk had. Riaz was gepakt. Iemand zette hem af voor de poort, en daar werd hij opgewacht met de zweep.

'Ha die Riaz!' zei Asnar.

'...'

'Hoe ben jij ontsnapt? Vertel dat eens.'

'Ik eh...' fluisterde Riaz. Angstig keek hij naar het verlengde van Asnars arm, naar het dunne, dansende koord. Hij werd steeds kleiner. 'Ik had me eh...'

'Ja, ga door: ik wat?'

'Ik had me verstopt.'

'Waar?'

'Achterop de auto die hooi bracht, onder een zeil.'

'Heel onverstandig. Ik dacht dat je ziek was. Maak je rug eens bloot.'

Tsjak! Tsjak!

De ene streep na de andere verscheen.

Riaz schreeuwde van pijn.

Mijn rug trok hol bij elke klap, terwijl ik niet eens keek. De rest van de dag lag Riaz halfdood in het zand. Als voorbeeld voor ons, zei Asnar. 'Dan weet je wat er gebeurt als je iets doet wat niet mag.'

De vieze schijnheil! Alsof hij ons mocht vasthouden en slaan, alsof dat normaal was. Nou ja... dat is het eigenlijk wel. Omar en al die andere sjeiks in hun spierwitte jurken, de politie, de trainers, de douane: ze werken allemaal samen. Ze zijn gek van kamelen – voor jockeys is het één grote hel.

's Avonds waste Sajib Riaz' wonden met water, met zóút water, omdat er niets anders was. Riaz vertelde dat zijn vluchtauto de verkeerde kant op reed, ver de woestijn in en niet naar de stad.

'We stopten bij een kleine kamelenfokkerij. Toen de chauffeur een huisje in ging, ben ik tegen een zandduin op gekropen. Maar achter dat duin was er nog een, en nog een. Geen mensen, geen drinken – alleen maar zand, zover ik kon zien. Eén grote leegte en verder helemaal niets. Als ik daar in het donker ging dwalen... Dat had geen zin, dat durfde ik niet in mijn eentje.'

'En toen?'

'Ik ben weer op de auto geklommen en onder het zeil gedoken. Maar ik sliep veel te lang en te diep. Ik werd pas wakker toen de chauffeur het zeil wegtrok en riep: "Wie ben je, waar kom je vandaan?" Ik moest de naam van Asnar wel noemen, want anders bracht hij me naar de politie en... nou ja... toen kwam ik terug en de rest heb je gezien.'

Riaz ging liggen, voorzichtig, voor zijn rug. Zareena had gelijk gekregen. Vluchten was levensgevaarlijk. Als ze je vonden, brachten ze je terug.

^

8

De ouders van sommige kinderen werkten in Dubai als bouwvakker of tuinman of schoonmaker. Ze hadden allemaal dezelfde droom: rijk worden, een kind hebben dat alle races won. Af en toe stond er bij de poort van de stal een van hen te wachten tot Asnar langskwam. 'Vrede zij met je, Asnar. Ik dacht, ik kom eens kijken hoe het hier gaat.'

'Als je maar niet in de weg loopt.'

'Ik dacht, misschien heb ik het verkeerd verstaan, maar ik herinner me een belofte toen je mijn zoon Zahid meenam.'

'Wat dan?'

'Dat we elke maand een bedrag van je zouden krijgen. Ik vergis me toch niet?'

'Nee, nee, maar ik kan de jongens moeilijk alleen laten. Ze vragen veel zorg, vooral jouw Zahid.'

'Dat wil ik graag geloven, hij is pas vijf. Maar ik wacht nu alweer drie maanden op het loon van mijn zoon.'

'Goed dat je er bent, ik wou net naar je toegaan,' slijmde Asnar. 'Even kijken, drie keer vijf min dit en dat...' En dan brabbelde hij wat en rekende. 'En ook nog min dat... dus dan krijg je...'

En dan toverde Asnar een stapeltje papiergeld tevoorschijn en telde wat slordige briefjes uit.

'Alsjeblieft.'

'Maar... je had drieduizend roepies per maand beloofd!'

'Ja zeg, ho ho! Er worden ook onkosten gemaakt. Zahid had nieuwe kleren nodig. En omdat hij van een kameel af lazerde, moest er een dokter langskomen.'

'Wat had hij?'

'Schouder uit de kom, spuiten, pleisters, pillen...'

'Niets gebroken?'

'Gelukkig niet, nee. Het grootste deel van de dokterskosten neem ik voor mijn rekening. Zulke dingen gebeuren nou eenmaal, daar hoor je mij niet over. Maar kan ik het helpen dat hij zo beroerd rijdt? Jouw zoon vraagt buitengewoon veel training en tijd.'

'Maar... je betaalt me een fooi.'

'Ik geef toe, we hebben het geluk niet in handen. Alleen als God het wil zal Zahid een race winnen. Eens. Misschien. Ooit. Ik verlang naar die dag, net als jij.'

'Krijgt hij wel de goede kamelen?'

'Wie is hier trainer? Jij of ik?'

'...'

'Als je twijfelt aan mijn inzicht, neem je hem maar weer mee. Ik roep hem wel even. Hij vreet me toch de oren van het hoofd. Hé, Zahid!'

'Nee wacht, Asnar...'

'Zahid, hier!'

'Wacht nou even.'

Zahid rende naar de poort en hoopte dat hij met zijn vader mee mocht, maar dat feest ging niet door. Zijn vader droop af met het kleine beetje geld dat Asnar gaf en de hoop dat zijn zoon races ging winnen.

Winnen, dat wilde iedereen wel. Ik ook! Om geld te verdienen voor een dokter die iets moest doen aan de benen van Noor, zodat ze weer kon dansen en springen.

Maar dat geld, kwam dat wel bij haar terecht?

Mijn familie woonde oneindig ver weg. De vader van Zahid kon het loon van zijn zoon tenminste nog halen – die van mij kon dat niet. En zonder die drie- of tienduizend roepies per maand die Asnar beloofd had...

Ineens knalde mijn hoofd open – wat stom dat er ook maar iemand was die Asnar geloofde! Wat ongelooflijk stom! Het was zo simpel en helder.

Als ik won.

Als ik won...

Rot toch op! Het maakte geen roepie uit of ik won! Die leugenaar stuurde geen geld naar mijn ouders. Het was een smerig vals spel. Ik werkte me kapot in die woestijn en Noor wachtte voor niets.

9

Ik droomde dat Noor mijn naam op een blaadje schreef.
'En nu?' vroeg ze, 'wat moet eronder?'
'Waarom bidt iedereen?'
Waarom bidt ieder... begon ze te schrijven. Het waren mooie
letters, maar het duurde mij veel te lang, ik wou gewoon
antwoord.
'Om hulp te vragen,' zei Noor, 'of als je iets nodig hebt.'
'Mag je alles vragen? Elke dag eten, zachte matrassen, eelt
op je kont, nieuwe benen, een echte bal?'
'Natuurlijk mag dat, maar of je het ook krijgt...'
'Riaz wil graag nieuwe nieren.'
'Waarom?'
'Z'n ouwe zijn kapot. God woont ver weg hè?'
'Heel ver, in het paradijs. Daar is alles mooi en lief en licht,
zeggen ze. Ik hoop dat het waar is.'
'Ik ook. Maar Noor, dat bidden hè, als alle mensen op de
wereld, echt állemaal en tegelijk... Ik bedoel: als iedereen
nou dwars door elkaar heen bidt, kan God dan alles ver-
staan, al die stemmen?'
'Dat is hij gewend, joh. Hij heeft speciale afluister-oren.'
'Hele grote, zoals een olifant?'
'Wie weet.'
'Dat is toch geen gezicht!'
'Geeft niks, niemand ziet hem.'
'Babu misschien wel, die is er al geweest. Waarom bidden
wij nooit?'
'Dat doet mama voor ons. Laatst zei ze: niet iedereen hoeft
vijf keer per dag door de knieën. Ik bid voor ons allemaal
en ik roer ons gebed door het eten.'

'Dat zijn piepkleine gebedjes dan, zeker weten. Dat nieuwe kindje van mama hè, kan dat al een beetje lopen?'

'Natuurlijk, het is al drie.'

'Is het een broertje of een zusje?'

'Hé Yaqub, psst...'

Ik duwde de hand van mijn schouder. Noor mocht niet weggaan, ik had zo lang niet over haar gedroomd. Ik wou nog zoveel vragen:

Gaan we samen weer eens water putten?

Zijn je benen al beter?

O lieve Noor, kriebel nou even aan mijn oor...

'Yaqub! We moeten de kamelen voeren. Sajib heeft de deuren al opengemaakt.'

Er bewoog iets in de schemering. Noor vervaagde en Zareena dook op.

'Het is tijd, Yaqub, kom!'

Ik wreef de slaap uit mijn ogen en sloop achter haar aan. Voorzichtig om niet op alle verdwaalde armen en benen te trappen. Langs Riaz, die zacht lag te kreunen. Buiten leunde ik tegen de container en keek om me heen. De lucht was grijs, koud en leeg.

Kamelen.

Stof.

Zand.

In het vroege licht van de opkomende zon fluisterde ik zacht: 'Misschien hebt u mij niet goed verstaan, God. Misschien schreeuwde er iemand doorheen. Of zat er zand in uw oren? Dat heb ik ook wel eens, dus eh... Ik zeg het voor de zekerheid nog maar een keer: ik wil zo graag terug naar Noor. Het liefst deze week, dan kunnen we een feestje

vieren. En hebt u voor mij een kleurpotlood en voor Riaz
een gladde rug en een paar reserve-nieren?'
'Wat doe je?' vroeg Zareena.
'O gewoon, potje bidden...'

10

١.

Vlakbij onze stal stond een toren van ijzer, en verderop nog
een, en nog een... Het was een eindeloze rij, met dikke dra-
den ertussen. Ze liepen in een rechte lijn langs de renbaan
naar de stad toe. Steeds vager, steeds kleiner.
'Elektriciteitsmasten,' zei Sajib. 'Bij een zandstorm kan
zo'n ding je redding zijn, maar anders: nooit naar boven
klimmen. Als je op het ijzer staat en zo'n kabel aanraakt,
krijg je een ongelooflijke opdonder. Tsják!'
'En dan?'
'Je lazert omlaag, morsdood, verbrand.'
'Echt waar?'
'Hoogspanning, daar kan je lijf niet tegen. Vanbinnen gaat
alles stuk en dan brengen ze je de woestijn in.'

'Net als...'
Sajib knikte. We dachten allebei aan Riaz, die was alweer
een tijdje verdwenen. Na zijn vlucht had Asnar hem nog
één keer op een kameel gezet en vastgesnoerd. Riaz besefte
volgens mij niet eens dat hij aan een race meedeed. Half
bewusteloos kwam hij over de streep, lijkbleek. Kort daar-
na werd hij in een auto gelegd en afgevoerd.
'Waarheen, Sajib?'
'Ergens in de buurt van Babu.'
'Gelukkig, dan ligt hij niet alleen...'
'Alsof dat iets uitmaakt,' zei Sajib. 'Dood is dood, ook met
zijn tweetjes.'
Ik wil daar niet heen, dacht ik toen, niet naar Riaz en Babu.
Ik moet hier weg, maar hoe?
Vaak zat ik naar die elektriciteitsmasten te staren. Vogels

konden veilig op de kabels landen. Zij maakten geen kort-sluiting, want zij raakten het ijzer niet aan. Waarom zou het mij dan niet lukken? Als ik nou eens gewoon in zo'n toren klom en op zo'n kabel sprong... Dan liep ik door de lucht naar de haven en dook ik daar in een bootje. Varen maar, naar Noor.

'We kunnen ook met zijn allen vluchten,' zei Zareena. 'Een hele sliert kinderen, hand in hand achter elkaar.'

'Dag snor-Asnar en zeiksjeik Omar, jullie mogen zelf gaan racen. Veel plezier met je nieren en met de zweep. Hou ons maar eens tegen, nou, spring dan. En als ze dat dan pro-beerden, sprongen ze mis... Bhám!'

'Goed plan.'

'Weet ik.'

'Maar zo'n kabel is smal. We moeten eerst wat trainen. Weet jij waar dat kan?'

'...'

Ik kneep mijn mond stijf dicht. Op een stuk papier teken-de ik alle jockeys van onze stal en wat kamelen.

'Mooi!' zei Zareena. 'Ik wou dat ik zo echt kon tekenen.'

'Ja, daar heb je wat aan,' bitste ik.

'Hé, wat doe je nou, niet vouwen.'

Maar ik sloeg het papier dubbel en maakte er een vlieg-tuigje van. Ik gooide...

Sierlijk vloog het over de schutting.

Uitstappen maar.

Vrij!

In mijn fantasie kon er veel, maar waarom kon er in het echt niet wat meer? Gewoon, omdat je het heel graag wil en er heel hard in gelooft.

5   Zweet   عرق   ه

Ik wilde wel vluchten, maar wanneer? We moesten van vroeg tot laat werken. De kamelen eten geven, ze inzepen, afspoelen, borstelen, de drollen opruimen, de stal aanvegen, Asnars hut uitmesten, peuken rapen... En elke dag naar Nad al Sheba, de renbaan. Dag in, dag uit. Jaar in, jaar uit. De ritjes heen en terug waren het leukst. Ik was blij dat ik die saaie omheining uit mocht en Sajib vertelde vaak moppen onderweg. Maar het fijnste was dat we geen last hadden van Asnar, omdat die met de auto ging.

'Iemand kocht eens een kameel op de markt,' begon Sajib.

'Wie?'

'Doet er niet toe. Ik geloof sjeik Abdullah. De verkoper zegt: "Dit beestje is zo snel. Je hoeft maar *pff*... te zeggen en ze begint keihard te rennen."

"Het is een prachtkameel," zegt de sjeik. "Ik koop haar. Maar voor we over de prijs gaan praten, wil ik een proefritje maken." De sjeik stapt op en rijdt om de markt heen. Stap stap stap... alles gaat goed, maar ineens schiet er een slang door het zand. De kameel schrikt zich wild en gaat er als een vuurpijl vandoor.

"Ho!" roept sjeik Abdullah. "Ho! Stop!"

Maar het beest stormt de woestijn in, zandduin op en af en hop-baf-baf in de richting van een diep ravijn...'

'O, o...'

'Remmen!'

'Dat denkt sjeik Abdullah ook: remmen! Hij trekt aan de teugels. "Hela hó, hóó, Hóóó!" En het lukte, vlak voor de afgrond stond de kameel stil. "Gelukkig, net op tijd," zei de sjeik, "pff..."'

'Haha...'

'Boem!'

'Wat een sufferd...'

'Het was een driedubbel ongeluk,' zei Sajib. 'Weet je voor wie?'

'In elk geval voor de sjeik en de kameel,' zei Zahid. 'Die vielen dood.'

'En wie is de derde?'

'De koopman!' riep Zareena. 'Hij had z'n kameel wel verkocht, maar de sjeik had niks betaald. De koopman is de derde die pech had.'

'Klopt,' zei Sajib. 'Pff...'

Hij gaf zijn kameel een tik met de zweep. Lachend en joelend reden wij achter hem aan. 'Pff... pff...'

Bij de ingang van de renbaan haalden we hem pas weer in.

Door die mop moest ik denken aan thuis, aan papa en mama en Noor. De koopman bleef met lege handen achter, het kwam me heel bekend voor.

We wachtten altijd op Asnar bij de startplaats. Daar, bij het
brede begin van de renbaan, kwamen honderden kamelen
voorbij. De ene na de andere groep jockeys begon aan de
training.

'Sajib, weten jouw vader en moeder dat je hier bent?'

'Nu wel, in het begin niet.'

'Ben je ook gestolen?' vroeg Zareena, 'net als ik?'

'Weggelopen,' zei Sajib. 'Mijn vader werkte hier in de
bouw. Ik ben een keer met hem naar een wedstrijd
geweest. Ik vond het zo spannend, die jockeys zaten heel
hoog. Dat wou ik ook! Ik dacht: leuk, kameeltje rijden, lekker racen. En toen ben ik stiekem het huis uit geslopen, ik
was pas zeven.'

'Ben je zelf hierheen gegaan?' Ik kon het niet geloven.

Maar Sajib knikte. 'Ik verwachtte dat ik in een soort circus
of een speeltuin terecht zou komen. Ik vond het rijden heel
leuk, maar het werk in de stal viel vies tegen.'

'Heb je wel eens gewonnen?'

'Zo vaak, tot ik te zwaar was, toen werd ik het hulpje van
Asnar en dat ben ik nog steeds.'

'Maar Sajib, als je uit jezelf kwam, dan mag je toch ook zelf
weten wanneer je weer naar huis gaat? Zou ik altijd doen,
alles beter dan dit.'

Sajib wikkelde de doek om zijn hoofd goed vast – de zon
stak als een mes, er woei een gloeiende wind.

'Ik moet wel blijven, Yaqub, ik ben gebonden, net als jij.
Mijn familie was hier zonder papieren, ze zijn opgepakt en
het land uit gezet. Een oom van mij werkt nog steeds in de
bouw, die kwam het me vertellen.'

'Mag je niet bij hem wonen dan?'
'Dat wil hij niet, hij is te arm. Wat ik verdien, geeft Asnar aan hem. "Ik spaar het op voor je terugreis," zegt mijn oom, "je krijgt later alles in één keer." Maar ik denk dat hij liegt. Hij houdt meer van mijn loon dan van mij. Ik heb geen paspoort, niets.'

Sajib staarde voor zich uit. Iets verderop stonden een paar mannen te wachten met zeven kamelen. De dieren hadden allemaal dezelfde groene deken op hun rug. Er lagen kleurige zadels overheen, met witte linten om de buiken gebonden. Het zag er duur uit.

Die kamelen zijn vast van een prins, dacht ik, of van een sprookjesprinses. Misschien wel van die ene waar Noor over vertelde, die met het spierwitte paard en de ring...

Ik hoorde een mobieltje bliepen. Een van de mannen bij de kamelen drukte een toestel tegen zijn oor. De ander zwaaide en riep iets in het Arabisch. Sajib lachte en riep wat terug.

'Wat zei hij?'
'Dat we beter naar huis kunnen gaan, dat zij bij de komende races alle prijzen weg zullen kapen.'
'Hoezo?'
Hij zegt dat ze een geheim wapen hebben, zeven vogeltjes.'
'Wat bedoelt hij daarmee?'
'Geen idee, het wapen wordt zo gebracht, we zullen wel zien.'

Er kwam een glimmende landrover aangezoefd, precies zo een als die van sjeik Omar. De auto stopte bij het groene groepje, de deuren zwaaiden wijd open. Er sprongen zeven jockeys van de achterbank, hoewel... Ze hadden allemaal een helm, daardoor leken ze op jockeys, ze konden lopen, maar het waren bijna nog baby's!

De zeven werden op de groene kamelen geplant. 'Ons
wapen,' riep de man naar Sajib. 'Zo licht als een veertje. Ze
wegen niks.'
Met touw en klittenband werden de kindjes aan de zadels
gebonden, toen hobbelden ze de baan op. Fladderende
armen, trappelende benen. Ze schommelden wild heen en
weer en grepen zich vast aan de dekens. Vlak voor de tribune begon de eerste te huilen.
Rennen.
Stuiteren.
Schudden.
'Au, au...'
Ik wist het nog van vroeger: de eerste ritjes zijn vreselijk. Ik
kreeg ook pijn van onderen als ik reed. Ik plaste heel vaak
bloed.

3 ٣

Asnar gaf nog wat aanwijzingen, toen begonnen wij ook
aan de training.
Er reden maar een paar meisjes op de baan, Zareena was er
één van. Ik kon aardig rijden, maar zij was beter. Ze won
meer wedstrijden dan ik.
'Geeft niks,' zei Sajib, 'als er maar een van ons wint, is het
goed.'
Zareena en ik deelden samen het eten na een overwinning,
maar ik vond het wel jammer dat ik niet wat vaker won.
'Zareena gilt harder,' zei Sajib.
'Omdat ze banger is!' zei ik.
'Niet waar!' riep Zareena. 'Ik rij slimmer!'

'Maakt niet uit hoe het komt,' zei Sajib. 'Jullie moeten maar eens met zijn tweetjes de baan op en tegen elkaar racen, zonder anderen erbij. Als Zareena wint, kan Yaqub zeggen: zij was een na laatste, maar ik was tweede.'

Zareena stak haar armen omhoog. 'Gewonnen Yaqub, joehoe...'

Ik juichte ook, tot ik Sajib zag knipogen; toen begreep ik pas wat hij had gezegd.

'Ik ga die wedstrijd tekenen!' riep ik. 'Op papier verlies ik nooit!'

Tijdens de races droegen wij rode helmen. Sjeik Omar had ze voor ons meegebracht nadat Zahid weer eens op zijn hoofd was gevallen. Maar ook met zo'n ding op viel er nog wel eens iemand dood. In elk geval bij de baby's. Tenminste, dat denk ik. We kwamen ze bijna elke dag tegen.

Eerst waren het er zeven.

Toen zes.

Toen vijf...

Na de training werden ze meteen van hun kameel geplukt en afgevoerd in auto's met zonnebrilglas. Kleine, bange vogeltjes. Terug naar de kooi, terug naar af.

En de vaders en moeders thuis maar wachten op het geld dat nooit kwam. De enige winst voor de ouders: ze hoefden één kind minder te eten te geven. Ze waren één hongerig mondje kwijt, misschien wel voorgoed.

De blinde kameel bij de waterput thuis is donkerbruin –
een racekameel is veel lichter van kleur.
De donkere heeft twee bulten – de lichte één.
De ene krijgt nauwelijks te vreten – de andere krijgt meer
dan genoeg, plus nog allerlei vitamines en zalfjes en spuit-
jes en pillen.
Ze lopen allebei domme rondjes: de putkameel komt nooit
over de finish – de racekameel kan winnen...
'Sajib, heeft sjeik Omar zelf ook kinderen?'
'Drie zoontjes.'
'Hoe oud zijn die?'
'Zoiets als jullie, iets groter.'
'Waarom racen zij niet?'
'Ik heb nog nooit een Arabisch kind zien meedoen. Veel te
gevaarlijk.'
'Voor ons niet dan?'
'Nou... minder. De kinderen van hier zijn duurder, die
moeten naar school. De sjeiks halen hun slaafjes liever uit
Pakistan, India, Soedan. Daar zijn er meer dan genoeg. En
wanneer zo'n kind verongelukt of te zwaar wordt, kunnen
ze zo weer een nieuwe bestellen. Trouwens, als sjeik Omar
een van zijn eigen zoontjes op een kameel zet, wint hij
nooit.'
'Hoezo?'
'Ik wijs ze wel eens aan, dan snap je het vanzelf.'
Later zag ik die kinderen een keer bij sjeik Omar in de auto.
Toen hij stopte, barstten de deuren open. De zoontjes
zaten naast elkaar op de achterbank geperst met z'n drietjes. Het paste net.

Toen die papzakken uitstapten, blies Sajib zijn wangen bol. 'Kansloze jockeys, snap je wel?'

'Zeker weten. Een race met zo'n zoontje houdt geen kameel vol, dan is hij bij de finish versleten.'

Achter de omheining stof en zand, en in de verte de stad.
Bij helder weer kon ik de hoge gebouwen goed zien: de
kleuren, de vormen, 's avonds de lichtjes. Maar meestal was
alles wazig en grauw, een rij grijze torens en kistjes.
Eén zo'n gebouw leek op een boot die rechtop stond, de
voorkant in de grond geboord, de achterkant omhoog.
Alsof hij van een wolk in het zand was gevallen.
'Dat is een heel groot hotel,' zei Sajib, 'met wel duizend
kamers voor dure sjeiks en toeristen. Dikke tapijten op de
grond, zachte bedden, heerlijk eten. De deurknoppen en
de kranen zijn van goud.'
'Ja ja...'
'Geloof me nou maar. Elke kamer heeft een knots van een
bad, daar passen wij makkelijk in met z'n allen.'
'Ha ha!'
'Niet alleen de jockeys, ook de kamelen!'
'Lekker zwemmen...'
'Hopelijk wel zonder trainer!'
Er schoot een schaduw over ons heen. Dháf-dháf-dháf-
dháf...
'Een helikopter!'
'Joehoe, mag ik mee?'
'Die gaat naar het hotel,' zei Sajib. 'Op het dak is een plat-
form, daar kan hij landen.'
De ratelende helikopter was net een vette vlieg die op de
honingpot af vloog.
'Lijkt me spannend,' zei Zareena.
'Wat?'
'Om te vliegen.'

'Moet je wel rijk zijn, dat lukt ons nooit.'
Ik keek naar het hotel, naar het schip dat rechtop stond.
Van hier af leek het klein, mijn duim was groter. Als ik het
nou eens omduwde, in zee smeet en ermee naar Pakistan
voer. En dan over de rivier de Indus naar het meer bij ons
huis...
'Hé Yaqub, wat is dat nou?' zou mijn vader vragen.
'O gewoon, een hotelboot met duizend kamers. Cadeautje
voor mama en jou.'

Er kwamen vaak toeristen kijken bij de trainingen en de races. Ze droegen petjes en donkere brillen. Soms riepen ze iets, dat we moesten blijven staan of zo, en dan draaiden ze met hun camera's om ons heen.

Klik, klik, klik-klik!

'Dag mevrouw,' riep Zareena, 'mag ik dat blikje limonade?' Ik had ook dorst, maar op dat moment wilde ik nog liever iets anders: het potlood van Noor was helemaal op.

'Pen,' riep ik naar een man met een raar hoedje op. 'Pen, pen, pen...' Ik wees naar het zakje van zijn bloes, ik zag er drie.

'Pen?' vroeg de man.

Ik knikte en toen gaf hij er een aan mij. Ik was zo blij, ik kon weer tekenen! De man deed zijn grote camera omhoog en richtte: klik, klik, klik-klik-klik!

'Toe!' snauwde Asnar, 'rij door!' Hij klakte met zijn tong en ging ons voor.

Klik, klik, klik-klik! hoorde ik achter mij. Ik draaide me nog één keer om. De man van de pen keek me aan en tilde kort zijn hoedje op. Ik herkende hem meteen aan zijn kale kop: hij had foto's van onze stal gemaakt toen Asnar de bal stuk trapte. Was hij een toerist, of woonde hij hier? Ik stak mijn hand omhoog, de fotograaf zwaaide terug.

Klik, klik, klik-klik!

'Yalla yalla!' riep Asnar, 'aan de kant.'

De toeristen gingen opzij, ze maakten honderden foto's en filmpjes: van de kamelen, van ons, van de start en de finish. Ze lachten en knikten en na een tijdje vluchtten ze weer weg uit de hitte. Langs de perkjes met bloemen, terug naar de stad.

'Ik wil mee in zo'n auto,' zei Zareena. 'Waarom redden ze ons niet?'

'Hoe zouden ze dat moeten doen?' vroeg Sajib.

'Gewoon, ons ontvoeren, dat deed Asnar ook.'

'Joh, ze vieren vakantie, daar kunnen ze jou en mij niet bij gebruiken. Over een paar dagen vliegen ze weer naar hun eigen land. Misschien hebben ze al kinderen.'

'Nou en? Ze kunnen beter ons meenemen dan onze foto's.'

Maar dat gebeurde nooit. Iedereen liet ons stikken. Wij zaten vast achter een schutting en Asnar kon met ons doen wat hij wou: uithongeren, afbeulen, slaan...

Ik sliep altijd naast Zareena. Eerst op de grond en toen we groter werden, deelden we samen een matras. Maar af en toe was zij een nachtje weg, dan lag Sajib in de container.

'Zareena, waar was je?' vroeg ik de eerste keer dat het gebeurde.

Geen antwoord.

'In de hut bij Asnar, hè?'

Ze knikte.

'Wat moest je daar?'

Ze keek me alleen maar aan, ze zei niks.

'Er zitten witte vlekjes op je wangen.'

Zareena veegde ze weg met haar hand. Ze trok haar kleren glad en wilde weglopen, maar ineens herkende ze wie ik tekende op het stukje krant.

'Geef hier.'

Ze spuugde op Asnars kop.

Verscheurde het papier.

Vertrapte de snippers in het zand.

De dagen erna bleef Zareena stil. En ook de volgende keren vertelde ze niet wat die klootzak met haar deed.

De zon lag op de rand van de aarde, maar ik had geen tijd
om te kijken hoe hij opsteeg.
'Zepen, soppen, spoelen!' riep Asnar. 'Ik wil dat ze er piek-
fijn uitzien vandaag.'
Het was de eerste dag van het zoveelste festival. Ouskoub,
de kameel waar ik op zou racen, moest glimmen als goud,
net als Asnars nieuwe kiezen.
Sjeik Omar had boos geroepen: 'Wat voor trainer ben jij
eigenlijk, Asnar? Het kost handenvol geld en winnen, ho
maar! Een valk droomt van hazen in de woestijn, ik eis dat
een van mijn kamelen als eerste de eindstreep haalt!'
We moesten harder werken dan ooit. Ik deed alles zo goed
als ik kon, maar ik voelde me zo slap. Mijn knieën waren
touwtjes, ik zakte er zo doorheen.
Asnar controleerde streng of alles goed werd gedaan.
'Yaqub, waarom hang je zo sloom tegen die kameel aan?'
'Ik ben klaar.'
'En het zadeldek dan?'
'O ja...'
'Kloppen en borstelen! Hop!'
Ik maakte het zadel schoon, de riemen, de teugels. Sajib
snoerde alles stevig vast. Hij voelde steeds aan zijn arm.
'Wat heb je?'
'Niets,' zei Sajib, 'een pijntje.'
'Waarvan?'
'Gewoon, een beetje verbrand, tegen Asnars sigaret op
gelopen.'
Ik vroeg verder niets. Ik wou slapen, slapen, maar we moes-
ten naar de renbaan toe.

In de stallen om ons heen werd ook hard gewerkt. Ik hoorde de trainers opgewonden roepen en toen we de poort uit reden, kwamen we terecht in een optocht van kamelen.

Afgesponst.

Opgepoetst.

Klaar voor de strijd.

Er werd gelachen en gepraat door de jockeys.

'Hé Sajib, wat ben je stil?'

'...'

'Bang om te verliezen?'

'...'

'Vertel nog eens een mop?'

'Andere keer.'

'Hè toe.'

'Later.'

We sjokten langs de moskee, langs de vrachtwagens met
hooi, de rotonde...
'Wat veel auto's!' riep Zareena. De parkeerplaats stroomde
vol, alles glom en blikkerde. Er klapperden feestelijke vlag-
getjes in de wind, stroken rood, groen, wit en zwart.
Bij de finish stonden rijen mannen in witte jurken, allemaal met een snor, een baard, een donkere zonnebril op en
een bidsnoer in de hand. Het leken broers, heel veel broers.
Ze waren uit met z'n allen – een grote troep pinguïns.
Voor de tribune werd getrommeld en gefloten. Een jonge-
tje keek mijn kant op door een papieren koker. Hij zat bij
zijn vader op schoot. Dat wou ik ook! Bij papa, bij mama,
bij Noor!
'Hé Yaqub, rij eens door.'
Wij reden naar een hoek van het veld waar we op onze

beurt moesten wachten. De kamelen knielden in het zand.

Ik kroelde door de vacht van Ouskoub.

'Hé, dikke bult, gaan we winnen?'

De kameel opende haar bek en maakte een gorgelend geluid, de tanden in haar onderkaak kwamen bloot.

'Ja,' riep ik, 'met haar scheve bek zegt ze ja! Knap hè, ze snapt me.'

'Ik hoop het,' zei Sajib. 'Vandaag is de hoofdprijs bij elke race een auto. En Ouskoub heeft haar naam mee, het betekent 'snelheid'.'

'Die sleuteltjes zijn voor ons,' grapte ik.

'Eerst zien, dan geloven.'

Javed startte in race één. Sjeik Omar kreeg een beetje zijn zin: Javed bereikte als eerste de finish, maar... vanaf de verkeerde kant helaas. Al na een paar honderd meter weigerde zijn kameel mee te gaan met de dravende kudde. Javed trok hard aan de teugels, hij schopte en schreeuwde. Maar het eigenwijze beest trok zich niets van hem aan. Het draaide een flauw bochtje.

Stap stap stap, steeds trager.

Stap stap...

Stap...

En toen schommelde hij terug naar de streep.

De sjeiks op de tribune bekeken hem met zure koppen. Er kon geen glimlachje af, helemaal niet bij sjeik Omar. Maar de hulpjes van de trainers op het veld joelden zacht:

'Jojo.'

'Boemerang!'

'Dag auto.'

Het hek ging open, Javed moest de renbaan verlaten.

Asnars arm vloog woedend op en neer met de zweep. Ik

behandel hem als mijn eigen zoon... Volgens mij wist hij niet eens of hij de kameel of de jockey raakte.

De pinguïns keken onverschillig toe – een paar klappen, ach, dat hoorde erbij. Ze luisterden naar de omroeper die met de wedstrijd meereed, hij brulde het verslag van de race door de speakers. Zelfs met dichtgedrukte oren was mijlenver te horen dat een van de geheime wapens won.

Asnar maakte de walkietalkies vast bij Zareena en mij en keek toen zoekend rond. 'Hé, waar is Sajib?'
Ik zag Sajib verderop staan, half verscholen achter een man en een stel kamelen. Maar ik zei niets tegen Asnar. De man met wie Sajib praatte, stond met zijn rug naar me toe, maar door het hoedje wist ik precies wie het was: de fotograaf. Hij maakte foto's van Sajib en zijn arm, deed een stapje opzij...
En toen was Sajib ineens goed zichtbaar voor Asnar. 'Sajib, kom hier! De race begint zo.'
Sajib rende onze kant op en de fotograaf was plotseling verdwenen.
'Wat deed je daar nou?' riep Asnar geïrriteerd. 'We starten bijna. Ik moet naar mijn auto en er is nog van alles te doen. Trek die zadeldeken recht, Sajib. Kijk alle touwen na!'
'Na-na-ná-náá...' fluisterde Zareena, 'doe dit, doe dat... Man, krijg een klapband. Ik word gek van zijn stomme gekrijs. Ik kan die rotstem niet meer horen.'
Ik dacht aan het verhaal van de smid. 'We steken Asnars kop in een vuur,' fluisterde ik. 'Dan smelten zijn kiezen aan elkaar. Zitten zijn lippen vol blaren, kan hij nooit meer praten. Klaar!'
'Dat doet pijn,' zei Zareena.
'Nou en?'
'Sst. Hij is bij zijn auto. Als die engerd z'n walkietalkie aanzet, kan hij ons verstaan.'
'Helmen vast!' riep Asnar.
Ik trok de riempjes strak aan.

Zareena klom in het zadel en tilde de teugel op, maar de kameel bleef rustig liggen.

'Geen zin,' zei Sajib, 'dat begint goed. Hop!' Hij tikte de kameel aan met zijn stok – het beest stond met tegenzin op.

Klik, hoorde ik, klik-klik.

De man met het hoedje dook ineens weer op. Hij fotografeerde zo'n beetje alles en iedereen. Ik wreef met mijn hand over de walkietalkie, zodat Asnar een soort onweer zou horen en ons niet kon verstaan. 'Sajib?' vroeg ik toen zacht, 'waarom liet jij je arm zien aan die fotograaf? Ken je hem?'

Maar Sajib deed net of hij me niet hoorde en bracht Zareena en mij naar de start.

9

Zareena's kameel heette Djarada. Die naam betekent 'pijl'.
Maar in het begin van een race wou die sukkel alleen maar
terug. Daarom bonden we haar met een touw vast aan haar
zus Ouskoub, de kameel waar ik op reed.
Over de hele breedte van de baan waren twee touwen
gespannen, vlak boven elkaar. De kamelen duwden er met
hun borst tegenaan voor de start, stapten opzij en terug.
Sajib en de andere jongens die de dieren vasthielden werden bijna platgedrukt. Ik was blij dat ik veilig bovenop zat.
'Lekker eten,' zei Zareena, 'zij wel.'
Ze knikte naar de tribune. In het middelste deel zaten de
mannen op luxe leren banken. De emir was er ook bij, vol-

gens mij. Bedienden gingen rond met zilveren koffiepot-
ten en thee, met volle schalen fruit en gebak. Ik zag de
zoontjes van sjeik Omar wat koekjes weggraaien.
Ik voelde me nog steeds ontzettend slap. Konden ze alle
jockeys ook niet even één koekje geven? Dan wogen we
allemáál een klein beetje meer bij het racen.
'Hé, ho, Ouskoub!' Sajib werd bijna geplet. Hij stak zijn
arm op om mijn kameel te kalmeren. Zijn mouw zakte
omlaag, ik zag een vieze, vuurrode wond op zijn vel, en nog
een, en meer. Een béétje verbrand...
'Heeft Asnar dat gedaan? Waarmee?'
'Rustig Ouskoub, blijf staan!'
'Ik weet het al, met zijn sigaretten, hij drukt ze uit op je
arm!'
De startlijnen werden opgetrokken. 'Ja!' schreeuwde Sajib.

'Gaan!' Hij vluchtte naar de zijkant van de baan. Net op tijd dook hij onder de reling door, vlak voor een paar grote poten langs.

Ouskoubs nek schoof uit. Djarada brulde toen het leidtouw strak kwam te staan en ze mee moest. Grawghgh... En daar gingen we, Zareena en ik, schuin achter elkaar.

'Yalla yalla!'

'Schiet op!'

Links, rechts, links, rechts – de hele kudde vloog weg, het zand spatte op. Langs de tribune. De lange bocht in. Het rechte eind op en dan eindeloos door, door... Ik perste mijn lippen op elkaar. Mijn hoofd bonkte, ik kreeg pijn in mijn kruis.

'Stilzitten!' riep Asnar. Hij reed met ons mee in de auto en zag precies wat we deden. 'Het gaat goed. Niets doen!'

Ik kón niet eens iets doen! Ouskoub liet zich niet sturen. Ik zat er alleen maar op om te roepen en te slaan en te gillen.

'Au au!' Ik schokte wild op en neer.

Op en neer...

Elke stap knalde door mijn lijf.

Mijn botten kraakten.

Een skelet! bedacht ik ineens. Een skelet dat rammelt en ratelt. Klotesjeiks, waarom binden jullie geen skeletten op die beesten? Die voelen niks, die zijn al dood.

'O, au au!'

Vlak voor ons zwenkte een kameel naar de buitenkant van de baan. Vanuit de auto's werd er hard geschreeuwd, maar het beest trok zich daar niks van aan. 'Hé... help!' riep de jockey toen de kameel plotseling stilstond. Hij vloog als een speer naar voren, ik hoorde het klittenband scheuren, maar kon niet zien wat er verder gebeurde. Ouskoub had er zin in vandaag, die rende maar door.

Links, rechts.
Links, rechts.
Stof, zand...
Ik reed vooraan mee in de groep.
Ik had het bloedheet.
Mijn broek plakte en schuurde.
'Ah, au...'
Ik klemde me vast.
Ik wou ervan af!
'Los,' kraakte de stem van Asnar.
Ik trok de knoop uit het touw. Het leek of Djarada,
Zareena's kameel, hierop gewacht had. Ze rende nog een
stukje naast ons mee en stoof toen als een pijl achter een
van de groene baby's aan. Het was net of het hoofd van dat
krijsende kind loszat. Het schudde alle kanten op – straks
brak het nog af.
'Ja, jaa, jááá,' loeide Asnar.
Toen de laatste kilometer inging, begon hij steeds wilder te
toeteren en te roepen. 'Gebruik de zweep! Sláán!'
Zareena's arm ging snel op en neer. Ik dacht ineens aan de
arm van Sajib... Aan gloeiende peuken. Aan brand en pijn.
De auto voor de winnaar. De sleuteltjes...
Winnen!
Ik móést winnen!
Tsják!
Ik stelde me voor dat ik niet op Ouskoub, maar op Asnar
zat.
Tsják!
'Naar voren, stomme zak!'
TSJÁK TSJÁK!
Nooit eerder had ik Ouskoub zo geslagen met mijn zweep.
Ik brulde en gilde. Ik trapte mijn hakken in haar zij, en

langzaam liepen we in. Ouskoubs kop kwam op de hoogte
van Djarada's kont.
'Yalla yalla!'
TSJÁK TSJÁK TSJÁK!
Ik ging Zareena voorbij. Nog honderd meter. Eén baby
voor me.
'Yalla yallááh...'
TSJÁK! TSJÁÁK! TSJÁÁÁK!
Het laatste stuk vloog ik. Ouskoub stormde maar door.
Haar lippen flodderden op en neer op de maat. Links,
rechts. Hoog, laag...
Vlak voor de finish haalde ik de groene baby in.
'Gewonnen! Já, jáá, yallááá...'
Uitgeput keek ik rond. Mijn hand was verkrampt. Alles
deed pijn.

'Sa-jib...'
Doodmoe hing ik over de bult terwijl Ouskoub nog wat
uitliep. Sajib ving ons altijd op bij de streep, maar ik zag
hem niet.
'Sajib?'
'Prima Yaqub,' zei Asnars stem, 'eindelijk snap je hoe het
moet. Wat een eindsprint. Eerste prijs, heel goed.' Hij tilde
mij van de kameel af en sloeg een deken over Ouskoub
heen. Zij mocht met Asnar mee naar de prijsuitreiking – ik
niet.
Ouskoubs hals en kop werden oranje geverfd met saffraan,
de kleur van de overwinning.
De autosleuteltjes schitterden in het zonlicht voordat ze in
sjeik Omars handpalm vielen. Ik kreeg niets. Bij wedstrijden hoort er een jockey op een kameel te zitten, maar

eigenlijk zijn we niet meer dan versiering.

Tijdens de prijsuitreiking peuterde ik voorzichtig de walkietalkie los. Ik wachtte liever niet tot Asnar dat deed: die trok de grote stroken tape altijd met een ruwe ruk van je borst af.

In mijn eentje liep ik terug naar het veld. Onderweg raapte ik wat stukken papier op om te tekenen, maar ineens zag ik iets glinsteren in het zand. Ik deed of ik jeuk aan mijn voet had en krabbelde. Niemand zag wat ik opraapte van de grond: een gouden kettinkje. Toch nog een prijs.

'Gefeliciteerd,' zei Zareena.

'Waarmee?' Ik hield mijn dichtgeknepen hand op mijn rug.

'Dat je gewonnen hebt.'

'Waar is Sajib?'

'Weet ik niet.'

We keken om ons heen, maar zagen hem nergens.

's Middags niet en 's avonds niet. We kregen geen winnaars-eten die keer, omdat Sajib in de drukte van de races spoorloos was verdwenen.

'Die slang!' riep Asnar. 'Ik zal hem vinden, met de hulp van God.'

Hij stopte ons met z'n allen vroeg in de container. We hoorden de ketting rinkelen, de poort ging op slot. Toen scheurde hij weg, op zoek naar zijn hulpje Sajib.

6   Tranen دموع ٦

De avond van Sajibs vlucht begon het te regenen en te donderen. De druppels kletterden op het dak. Het water stroomde door het gat de container in. We kregen genoeg te drinken toen, iets te veel eigenlijk: mijn tekeningen onder het matras, de dekens, het stro, alles werd drijfnat. 'Sajib heeft geluk,' zei Zareena. 'Alle sporen worden uitgewist.'

Ik dacht aan Sajibs arm. Werden die brandwonden ook door de regen geblust?

'Waar zou hij nu zijn?'

'Misschien met een toerist mee naar de stad?'

'Zou ik ook wel willen: naar een hotel met een bad en dan in een vliegtuig naar huis.'

De donder knalde door de lucht, een felle flits. Even kon ik Zareena's gezicht goed zien, toen werd het weer nacht.

'Ik ben bang.'

'Voor het onweer?'

'Voor Asnar. Als hij Sajib vindt...'

Ik kneep onopvallend in de stof van mijn broek; het kettinkje zat aan de binnenkant vastgeknoopt. Soms rolde het koud over mijn been, mijn schat van goud. Dat kettinkje was het enige wat ik in al die tijd verdiend had, maar ik vertelde er niemand iets over, zelfs Zareena niet.

Ook de dag erna huilde de hemel. Wij zaten opgesloten, alle wedstrijden werden afgelast. Kamelen kunnen niet tegen modder. Dan glijden ze uit en breken ze hun borstbeen en een heel rijtje ribben. Dan vallen ze uit elkaar, zoiets... en dat hebben de sjeiks liever niet.

'Van mij mag het altijd regenen,' zei Zareena. 'Dan stoppen de races en zijn er geen jockeys meer nodig. Dan laat Asnar ons vrij.'

'Jullie misschien wel,' zei Javed. 'Mij niet.'

'Hè? Wat?'

Ik had nog nooit bedacht dat Javed ook weg wilde, maar ik kon het me wel voorstellen. Op zijn armen en in zijn hals zaten opgezwollen striemen: cadeautje van Asnar na de boemerang-race.

'Weet jouw moeder wél dat je hier bent?' vroeg Zareena.

Javed schudde zijn hoofd.

'Wanneer heb je haar voor het laatst gezien?'

'Nou, nooit. Ik was nog een baby toen Asnar me meenam. Hij praat nooit over haar, alleen als ik iets fout doe. "Precies je moeder," zegt hij dan. Het zal wel. Ik weet niet eens waar ze woont.'

Ineens viel me op dat Javed altijd 'Asnar' en nooit 'papa' zei. Zou ik ook niet doen bij die vent. Behalve die ene keer dan, aan het begin van de reis, toen hij me dwong. Ik dacht aan mijn eigen vader. Die was liever, of...

Ik schudde mijn hoofd. Ik dacht liever aan Noor. Papa sloeg nooit, maar hij gaf me wel weg toen ik vier was. Zijn laatste woorden was ik nooit vergeten: 'We hebben geen keus. Ga nou maar, het moet!' Stom! Maar als ik hem ineens zag lopen, zou ik in zijn armen vliegen, en dan ving hij me op en bracht hij me naar huis. Zeker weten.

Na twee nachten ging de container pas weer open. De regen was opgehouden, er hing een grijze nevel. Sajib liep nog steeds vrij rond. In de leegte? In de stad?

Asnar stapte 's morgens vroeg opnieuw in zijn auto. 'Ik waarschuw jullie,' zei hij, 'waag het niet te vluchten, want dan loopt het slecht met je af. Javed, ik geef jou een telefoon. Bel me als het nodig is. Jij past hier op.'

De kamelen stonden met hun voorpoten aan de palen vastgebonden. Wij trapten wat tegen een bal, renden achter een vlinder aan of lagen loom op de grond. We verveelden ons zonder training. En ik had honger, dat gevoel wende nooit.

Javed had last van zijn zwerende wonden; hij vergat de baas te spelen, of hij wilde het niet. Af en toe vloog er een helikopter over de leegte. Dháf-dháf-dháf...

We zwaaiden met lappen en gooiden zand omhoog: goudgeel stoof het weg in de wind. 'Hier, hier, red ons!'

Eén keer maakte zo'n ding een laag, tweede rondje. Iemand zwaaide terug.

'Volgens mij...' zei Zahid, 'ja! Achter dat raampje, Sajib!'

'Haha, blinde, je ziet ze vliegen. Het is een blonde vrouw, ze heeft een zonnebril op.'

Ik werd een beetje kwaad op Sajib. Ik hoopte dat hij veilig was, maar ik vond het ook stom dat hij ons hier achterliet. Waarom haalde hij geen hulp en kwam hij ons niet bevrijden? Hij wist dat we allemaal wilden vluchten, Zareena vooral. Haar ogen waren dik en ze lachte niet meer. Steeds vaker sliep ze in de hut bij Asnar. Ze was maar iets ouder dan ik, maar Asnar noemde haar 'mijn vrouwtje'.

Tegen de avond stopte er een auto voor de poort. Ik herkende de toeter.

'Asnar! As-nárr!'

De waterman toeterde nog eens.

'Hé, ik heb iets voor je meegebracht. Is daar iemand?'

Niemand gaf antwoord. Wat had die vent? Wat kwam hij brengen?

De waterman rammelde aan de ketting. Toen verscheen zijn hoofd boven de omheining. 'Ah, jullie zijn er toch. Waarom zeg je niks? Javed, wanneer komt je vader terug?'

'Straks, misschien. Ik kan hem bellen.'

Hij hield de telefoon omhoog, maar op hetzelfde moment kwam Asnar eraan. De poort zwaaide open en de twee auto's reden naar binnen.

Ik kreeg een raar gevoel in mijn buik, ik snapte niet waarom. Tot de waterman zijn deur opengooide.

'Ta ta ta táá: Sajib!'

'Eindelijk,' zei Asnar. 'Waar heb je 'm gevonden?'

'Bij een bouwplaats, daar hield hij zich verborgen. Ik werd gewaarschuwd door zijn oom, die vertelde me dat Sajib bij hem aanklopte om hulp. Die oom zei: "Ik mag je niet verbergen, je moet terug naar de stal!" Maar dit brutale jochie weigerde.'

Wat een waardeloze oom, dacht ik. Die goorlap laat Sajib barsten en hij verraadt hem. Wat een vies varken, net als die waterman en Asnar. Ze doen alles voor het vetste zwijn hier: de portemonnee van sjeik Omar.

Sajib werd uit de auto getild. Hij keek als een bange hond. Zijn armen waren gebonden, en er zat een touw om zijn nek.

'Wat ben ik blij dat ik je weer zie,' zei Asnar. 'Ik heb je gemist, kom eens hier.' Hij gaf een ruk aan het touw.

Sajib struikelde en viel plat voorover. Asnar sloeg hem niet, dat kwam later. Hij sleurde hem als een beest naar een paal bij de kamelen en maakte hem daaraan vast.

'Blijf hier voorlopig maar staan. Zeg waterman, ik ben blij dat jij je zo om mijn kinderen bekommert.'

Mijn kinderen... die huichelaar zei het echt. We waren zijn slaven, zelfs Javed, zijn bloedeigen zoon.

'Hoe kan ik je belonen?'

'Ach,' antwoordde de waterman, 'dat is eigenlijk niet nodig.'

'Jawel, jawel. Het is mij heel wat waard dat je Sajib terugbracht. Zo'n goed hulpje heb ik nog nooit gehad. De Allerhoogste vergeeft het me niet als ik je met lege handen laat gaan.'

De waterman keek onze kant op. Hij knikte naar Zareena en begon weer aan zijn kruis te krabben. 'Nou, omdat je zo aandringt, Asnar. Dat meisje, één nachtje, dat is toch niet te veel gevraagd...'

'Dat verwachtte ik al,' zei Asnar. 'Je hebt er jaren op moeten wachten. Zareena...'

Sajib stond vast als een beest.

In de brandende zon, in de kou van de nacht.

Hij kreeg nauwelijks te eten en niemand mocht met hem praten of hem iets te drinken geven. Zareena kon dat niets meer schelen. Als een gedeukt blikje lag ze in het zand. Ze staarde Sajibs kant op, maar volgens mij zag ze hem niet staan door haar tranen, of ze keek dwars door hem heen. 'Ik haat die man,' fluisterde ze, 'die smerige zak van een waterman. Ik haat alles hier: Asnar en die stomme kamelen. Ik wil weg, de woestijn in!'

'Dat wilden Sajib en Riaz ook, maar zonder hulp lukt het nooit.'

'Die komt,' zei Zareena. 'En dan vluchten we, Yaqub. Later. Een keer. Ooit...'

Asnar stak een sigaret aan, het puntje gloeide vurig op.

'Sajib, er is werk aan de winkel. Je mag weer beginnen, maar onthou goed: weglopen heeft geen zin, ik heb overal ogen en vriendjes. Probeer het niet nog eens. Zweer dat bij de Profeet.'

Sajib knikte.

'Wat zeg je?'

'Ja meneer Asnar, ik beloof het.'

'Goed zo jongen, want...'

Asnar zoog hard aan zijn sigaret. Hij blies een rookwolk recht in het gezicht van Sajib.

'...de volgende keer vertel je het niet meer na. Dan verdwijn je in het niets.'

Asnar trok de touwen los. Ik zag rode striemen op Sajibs vel en huiverde: in het niets? Was dat nog erger dan hier? Dat kon bijna niet. Het klonk alsof je daar helemaal alleen was – dan had je in elk geval geen last meer van Asnar, maar het klonk ook leeg en stil. Of kwam je daar bij Babu en Riaz en wie weet nog meer terecht?

Het zou eigenlijk beter zijn als Asnar in het niets verdween!

We moeten hém kwijt zien te raken, dacht ik. Als we hem nou eens 's nachts met z'n allen, twaalf tegen één... Het gouden kettinkje kriebelde langs mijn been. Ik rilde ervan. Moest ik het strak om Asnars hals proberen te knopen en dan trekken en draaien tot hij uhghuhg... uhggh...

Of zou dat kettinkje breken?

Was het eigenlijk veel waard? Kon ik er iemand mee omkopen als ik weg wilde lopen?

Of...

Als...

Maar...

Ik verzon duizend manieren om te ontkomen. Ik zag mezelf veranderen in een vogel, een schorpioen, een mier. Ik vloog, ik liep, ik kroop. Door die dromen vergat ik de honger even, dat was tenminste iets.

Meestal was de hemel knalblauw zo ver je kon zien, maar
soms sloeg het weer onverwacht om. Op een dag begon het
te waaien tijdens de training. Een klein beetje eerst, later
snoeihard. Het blauw in de verte werd geel en bruin, dof en
vuil.

'Een zandstorm!' riep de Peuk, zo noemden we Asnar toen.

'Als de donder naar huis, Sajib voorop!'
Kop aan kont raceten we de renbaan af, Zareena en ik achteraan. Zandkorrels warrelden op en rolden als water door
de woestijn. Eerst alleen laag over de grond, toen ook door
de lucht. De bruine muur kwam achter ons aan, steeds
dichterbij.

'Rijden!' schreeuwde Asnar. 'Blijf bij elkaar.'
De wind werd sterker, loeide... En toen viel de aarde als een
warme golf over ons heen. Asnars stem loste op in stof en
zand. Ik hield een hand voor mijn mond en kneep mijn
ogen tot spleetjes. De auto, Zareena, alles verdween onder
een vliegend tapijt. Als een blinde zat ik op mijn kameel,
het leek nacht.

Zandkorrels zwiepten tegen mijn vel, ze beten en prikten.
Zand in mijn neus, zand op mijn lippen. Ik stikte bijna. Ik
dacht: ik ga dood!

'Yaqúb!' Ik voelde een been tegen het mijne botsen. 'Hier!'
Zareena duwde een touw in mijn hand, ik greep het snel
vast.

'Waar is Sajib?'

'Weet ik niet.'

'Rechtdoor.'
We hingen allebei over een bult en volgden de reling van

paal naar paal, eindeloos lang. Misschien wachtte Sajib of Asnar ons op bij de tribune? We tuurden in de bruine mist, maar we zagen ze niet.

We zaten samen in de storm met twee zussen: Zareena op Djarada en ik op Ouskoub. Die twee kamelen trokken zich niets aan van de gierende wind. Ze hadden geen last van het zand, hun wimpers zijn een soort ruitenwissers. Onverstoorbaar sloften ze voort.

Stap-slof-door. Stap-door...

Na een tijdje zag ik vaag iets wits. De muren van de moskee, dacht ik. Wat knap! Ze kunnen blindelings de weg terugvinden, ze volgen een spoor. Dan moeten we nu ongeveer bij de stal zijn.

Stap-slof-door. Stap-door...

Nog geen hekken, geen poort?

Stap-door...

Waar zijn we?

En toen bedacht ik ineens: als dat witte de moskee was, had ik ook een weg moeten zien, dan moesten we er nu allang zijn. Die kamelen volgen helemaal geen spoor, ze houden de wind in de rug en lopen stomweg rechtdoor.

Stap-stap-door...

We raken steeds verder van huis. Zal ik afstappen, teruglopen?

Ik durfde het niet. De grond leek een zee, de woestijn schuimde rond. Als ik viel werd ik levend begraven. Ik zou verdrinken in het kolkende zand. Zonder kameel was ik verloren.

Stap-stap-door. Stap-door...

Zand in mijn ogen, mijn oren, mijn mond.

'Yaqub, kijk!'

Djarada stond stil naast iets. Ik herkende niet wat het was.

Zareena klopte erop.

'IJzer, Yaqub. Een poot van een mast. Klimmen!'

'Maar die kabels met stroom...'

'Afblijven. Sajib zei dat het onze redding kan zijn.
Daarboven stormt het misschien niet zo hard.'

Djarada duwde zich tegen de mast. Zocht ze bescherming?
Was ze moe? Zareena kroop over de bult naar voren, sloeg
het touw om een stang en legde er een knoop in. Ik deed
hetzelfde bij Ouskoub – de kamelen stonden vast.

En toen hesen we ons op, van de rug op een dwarsbalk. Ik
reikte omhoog...

Strekken.

Afzetten.

Optrekken.

Langzaam, steeds hoger.

Het ijzer was scherp, de wind duwde en trok. Naast elkaar
klauterden we hijgend de toren in. Pijnlijke handen, tril-
lende voeten.

'Hélp!'

Ik gleed weg. Ik hing aan mijn armen, mijn voet zocht naar
steun. Met mijn tenen tastte ik rond... ja daar... voorzichtig
gaan staan en verder, de lucht in.

Hoe hoger ik kwam, hoe minder de storm werd. We klommen uit de woestenij tot boven de wind, tot het blauw, tot
de zon. Doodmoe hingen we tegen het ijzer aan. We lachten. We glommen.

'Gewonnen,' hijgde Zareena.

'Wie?'

'Jij en ik. Van het zand, van de storm.'

Ik pulkte de zandkorst van mijn lippen en keek om me
heen. De hoge gebouwen van de stad staken in de verte
boven de wervelwind uit. Het leken bootjes op een deinen-

de zandzee. Als ik mijn ogen dichtkneep zeilde ik mee in de mast, over de ruisende golven naar Noor.

'Duurt dit lang?' vroeg Zareena.

'Tot de storm gaat liggen,' antwoordde ik, 'of tot we vallen.'

Ik omarmde de stang en wachtte. Ik had een holle maag en
een tong van schuurpapier. Kramp in mijn vingers, pijnlij-
ke benen. De smalle balk waarop ik zat, sneed dwars door
mijn kont. Mijn nek, mijn schouders, alles deed zeer.
Wrijven.
Verzitten.
Knijpen...
De zon zakte langs de hemel. Ik was doodmoe, mijn hoofd
voelde zwaar. Als ik niets deed, viel ik in slaap... uit de
toren...
'Heb jij ook zo'n pijn, Zareena?'
Ze knikte.

'Zal ik je een beetje masseren?'
We schoven dichter naar elkaar. Het was lastig met één
arm, maar het lukte: schouder, rug, arm, been, nek, wangen, neus. En toen masseerde Zareena mij, op het laatst
wreef ze zacht over mijn oor...
'Stop eens.'
'Wat is er?'
'Het wordt minder.'
'De pijn?'
'Het gesuis van de wind, luister!'
Het zand wervelde niet meer zo hoog op als eerst. Zo'n
storm kon dagen duren soms, maar deze keer stortte hij
aan het eind van de middag al in, bijna net zo snel als hij
was gekomen.
Onder ons doken de koppen van Ouskoub en Djarada op;
ze hadden de storm overleefd. De aarde begon te gloeien in
het licht van de zon. De leegte van de woestijn werd weer
zichtbaar, er dwarrelden alleen nog wat zandpluimen
rond. Links van ons de stad en rechts...
Zareena wees naar de renbaan. 'Kijk, de moskee, dus dan
wonen wij... Daar!'
Ik zag de hut van Asnar en onze container. 'Zareena, wat
doen we: terug naar de Peuk of er stiekem vandoor?'
'Vluchten natuurlijk.'
'Hoe?'
'Op de kamelen.'
'Waarheen?'
'Asnar kent mensen in de stad, de waterman rijdt daar
rond, dus we moeten de woestijn in.'
'Maar straks wordt het nacht.' Ik keek achterom.
Zandheuvels en duinen zover ik kon zien, schaduwen van
hobbels en kuilen met schorpioenen en slangen. 'Ik heb
dorst.'

'We vinden wel iets te drinken, het is volle maan.'
Ik zag ons naar een bos met palmbomen draven. De scha-
duw van de bladeren in gaan. Ik sprong in een meertje...
'O, o,' zei Zareena.
Mijn droom spatte uiteen. Het water verdween. Er werd
naar ons gezwaaid en geroepen.
'Hé... hó...
...a-íé-ná...
...aqóé-óéb...'
Vluchten kon niet meer. We waren gezien. Asnars auto
reed de stoffige straat op, we hoorden de motor ronken.
'Laten we maar gaan,' zei Zareena. 'Het heeft geen zin hier
nog langer te wachten.'
Stijfjes klauterden we uit de toren omlaag.
'Gelukkig,' riep Asnar toen hij voor ons stopte, 'mijn gebed
is verhoord: jullie hebben de storm overleefd, de Heer zij
geprezen.'
Hij liep langs ons heen naar Ouskoub en Djarada, want
met dat 'jullie' bedoelde hij niet ons, maar de kamelen, die
zijn veel duurder dan jockeys. Als hij die beesten was kwijt-
geraakt in de storm, had hij van sjeik Omar op zijn donder
gekregen.
Sajib bracht Djarada en Ouskoub terug naar de stal. Wij
mochten voor één keer in de achterbak, als beloning voor
het redden van de kamelen.
Ik was kwaad toen de poort achter ons dichtviel.
Kwaad op de storm.
Op Asnar.
Op God: waarom luisterde hij wel naar die Peuk en nooit
naar ons?
De wereld was gewassen met zand, maar voor ons veranderde er niks.

6 ٦

Een tijdje daarna stond er ineens een vreemde man voor de
poort. Eerst had ik het niet door – het was zo lang geleden
dat ik hem had gezien – tot hij begon te praten.
'Dag Asnar.'
'Hoe kom jij hier?'
'Ik zoek mijn zoon.'
Ik was zijn stem eigenlijk helemaal kwijt, net als die van
mama en Noor, maar toen ik hem na zoveel jaar hoorde...
'Papa!'
De tranen sproeiden uit mijn ogen.
'Yaqub!'
Ik gooide me tegen hem aan. Sprong in zijn armen. Ik her-

kende zijn ogen, zijn geur, zijn wangen. 'Mag ik mee, kom
je me halen?'

'Ach jongen, natuurlijk.'

'Ik dacht het niet,' zei Asnar.

'Ik denk van wel! Jij bent je beloftes niet nagekomen,
Asnar. Je zwoer bij de Profeet dat we geld zouden krijgen,
maar na die eerste keer hebben we geen cent meer ontvan-
gen. Ik ben de vader, dit is mijn zoon.'

'Hoe wou je dat bewijzen?'

'Yaqub lijkt op mij.'

'O ja? Vind ik niet.'

'Ze zullen me geloven op mijn woord.'

'Ha,' lachte Asnar. 'Zo werkt het hier niet. Die jongen is dit
land binnengekomen als míjn zoon, niet als die van jou. Ik
heb contacten in de stad. Het is mijn woord tegen het

jouwe. En ik heb een bewijs op papier.'
'Papa, ik wil naar huis!'
'Dat gebeurt ook, Yaqub. Laat me eens los.'
'Nee!'
'Ik moet zaken doen met Asnar. Even wachten.'
'Ik wacht al zo lang.'
Papa zette mij op de grond en liep met Asnar naar de hut.
Ik wilde mee, erbij zijn, alles horen. Maar het mocht niet,
ze wilden het samen regelen.
Hoe kon ik zorgen dat papa zich niet liet ompraten of
omkopen? Ik wist precies hoe de Peuk dat deed, met zijn
glibberige stem: wat goed dat je er bent, alsjeblieft, ik heb
zijn loon opgespaard, alles ineens uitbetalen leek me beter.
Of: wees verstandig, laat die jongen nou hier, eindelijk
begint hij races te winnen, het geld stroomt binnen.
Als papa hem maar niet geloofde. Uitdrukken die Peuk. Ik
wilde weg, zo vlug mogelijk. Ik beet op mijn nagels en
wachtte.
'Papa... Waarom duurt het zo lang? Ik wil naar huis. Nu!'

Toen mijn vader eindelijk de hut uit kwam, zag ik meteen
dat het fout zat. Hij liep voorovergebogen, alsof hij iets
zocht – de woorden misschien om mij te vertellen dat ik
niet mee mocht.
'Ik wil...'
'Ik weet het, Yaqub.'
'...naar mama en Noor.'
Hij drukte me tegen zich aan en streelde mij. 'Jongen, het
kan nu nog niet.'
'Wel waar.'
'Ik heb geen goede papieren.'
'Nou en? Ik ook niet!'

'Jij wel, dat is juist het probleem.'

Asnar kwam de hut uit met een paspoort in zijn hand. 'Hiermee zijn wij het land in gereisd als vader Asnar en zoon Javed. Zonder mijn hulp en dit document kom je de grens niet over.'

'Maar ik heet Yaqub.'

'Zo noemen we jou, ja, maar volgens dit paspoort ben jij Javed. En volgens sjeik Omar ook. Ik ken niemand bij de douane die hem durft tegen te spreken.'

'Maar in een kist dan, smokkelen, net als Babu.'

'Met hem is het slecht afgelopen.'

'Ma... maar...'

Papa boog zich over mij heen. 'Yaqub,' fluisterde hij, 'in mijn paspoort staat geen zoon vermeld. Je moet nog even volhouden jongen. Ik werk nu hier in de stad, als het lukt kom ik af en toe langs. Over een paar jaar ben je te zwaar voor de races, dan helpt Asnar je het land uit te komen.'

Er ging een schok door me heen.

Een paar jaar?

Dat was erger dan een zandstorm, gemener dan een zweep. De wereld begon woest te zwaaien...

Ik zakte in elkaar. En toen zag ik Noor. Ze huppelde aan de overkant van het meer langs de oever. Haar spiegelbeeld rende in het water met haar mee.

'Noor, ik kom eraan.'

Ik sprong van de oever het meer in, maar de bodem verdween. Zware, zuigende modder. Mijn benen ploegden er een paar stappen doorheen en zakten toen weg tot mijn knieën.

Tot mijn navel.

Steeds dieper...

Ik probeerde mijn voeten los te trekken. 'Help!'

'Niet opgeven, ga door!'
Ik greep in de lucht, sloeg wild om me heen.
'Yaqub!'
Het water spatte op. Ik kreeg een plens in mijn gezicht.
'Word nou wakker. Hoor je mij, Yaqub?'
Toen ik mijn ogen opendeed zag ik papa vlakbij. Ik dacht
even dat ik thuis was, maar toen doken ook de kamelen op
uit de mist, en Zareena, Sajib, Asnar.
Ik greep naar mijn hoofd, het leek een trom waar iemand
met stokken op sloeg. Bhám-tabhám bam-bhám...
Papa hielp me zacht overeind. 'Kom maar zitten, leun maar
lekker tegen me aan.'
Ik kreeg een zoet koekje te eten en iets te drinken. Ik
wende aan het licht, de stokken smolten weg, de roffels
verdwenen.
'Papa, hoe is het met Noor? Zijn haar benen al beter?'
Mijn vader trok een stapeltje geld uit zijn zak. 'Nog niet,
jongen, maar jij en ik, we werken eraan.'
'En mama, en de baby?'
'O Yaqub, wat heb je veel gemist. Die baby is allang geen
baby meer, dat is al een jongen van vier.'
'Hoe heet hij?'
'We noemen hem Babu.'
Ik schoot overeind. 'Hoe?'
'Babu. Mama wilde dat de baby zo zou heten. Ze hoorde
die naam in een droom, een paar weken nadat jij vertrok-
ken was.'
Piep, dacht ik, waf waf...

7   Hout   خشب   ٧

Mijn vader werkte ergens in de stad, dat vond ik een veilig idee. Ik weet niet waarom, want eigenlijk veranderde er niets voor mij. Kamelen verzorgen, naar de renbaan, honger, dorst, elke dag weer. Alles ging gewoon door. Ik heb mijn vader ook maar een paar keer gezien bij de stal, nooit bij de races, daar had hij geen tijd voor.

'Maar papa, waarom ben je dan hier?'

'Om geld te verdienen; en om jou te zoeken natuurlijk.'

'Echt waar?'

'We maakten ons zorgen omdat we niets meer hoorden. Toen ze bouwvakkers zochten voor Dubai heb ik me aangemeld, net als veel andere mannen. En toen ontmoette ik de oom van Sajib...'

'De oom van Sajib, dat varken?'

'Hij wees me de weg naar Asnar, anders had ik jou nooit gevonden. Het is een wonder dat het lukte: vind maar eens één kleine tarwekorrel in een heel groot veld.'

Ik zei niks. Zou papa mij helpen als ik vluchtte? Of zou hij me terugsturen?

Het was zo raar om mijn vader na zoveel jaar weer te zien. Ik moest steeds naar hem kijken. Eigenlijk was hij een vreemde voor mij. De papa van vroeger leek groot en sterk, die ving vissen en sjouwde stapels stenen bij de steenbakkerij; maar deze was net zo mager als ik. Ik frummelde aan het gouden kettinkje voor mama in mijn zak; over die vondst vertelde ik niets.

'Weet je hoe wij Asnar noemen? De Peuk.'

'Hij rookt behoorlijk, ja.'

'Dat ook...'

Ik durfde niet te vertellen wat Asnar allemaal met Zareena en ons deed. Wat kon papa eraan doen? Asnar werd beschermd door rijksjeik Omar, en die weer door de emir. 'Ik heb voor twee jaar getekend,' zei papa. 'Het is zwaar werk in de bouw, ik hoop dat mijn rug het houdt, maar het geld is goed! En nu Asnar ook voor jou betaalt, verdienen we dubbel. Als ik naar huis ga, kan ik onze schulden afbetalen, eindelijk...'

'En de benen van...'

'Natuurlijk, dan gaan we naar een dokter met Noor. Misschien reizen jij en ik wel samen terug.'

'Jaah...' Ik wou dat graag geloven, maar ik kon het niet. Pas als ik te zwaar was, mocht ik weg. Maar ik groeide niet, ik was net een levend skelet. En zolang ik zo dun bleef, moest ik blijven racen.

'Als jij eerder naar huis mag, dan vlucht ik het land uit, papa. In jouw koffer of zo, daar pas ik makkelijk in.'

'Dat lukt alleen als we hulp krijgen van... ja, van wie? Er zijn mensen die jockeys helpen, hoorde ik, maar waarschijnlijk niet voor niks. Het zou goed zijn als je een paar races wint.'

'Wonen die mensen vlakbij?'

'Geen idee, ik ken ze niet. Ik kan het wel eens aan de oom van Sajib vragen.'

'Nee!' zei ik snel, 'doe dat maar niet.'

Ik zag mezelf op een kameel zitten. We stoven op de ingang van het grote hotel af. Sajibs oom wilde ons tegenhouden, maar dat was niet zo snugger: we liepen gewoon over hem heen.

'Goedemiddag,' zei een man in de hal. 'Wat kan ik voor u doen?'

'Een enkele reis naar huis graag.'

'Per boot of helikopter?'
'Maakt dat uit?'
'Alleen voor de reistijd. Kinderen en kamelen mogen gratis vandaag.'
'Vliegen dan maar, dat gaat vlugger.'

Ik was goed in verzinnen. In bedenken hoe ik vrijkwam vooral: op een wolk, een vliegend tapijt, door een tunnel. Ik heb zoveel tekeningen gemaakt op stukjes papier en krant.

Op een dag gaf Asnar mij een schoon, wit vel. 'Kun je ook kamelen tekenen? Laat eens zien.' Ik begon bij de poten, die zijn het moeilijkst, daarna de kromme nek, de oren, de bek. Eerst Djarada, toen Ouskoub.

'Niet gek,' zei Asnar. De dag erna nam hij een plaatje hout en allemaal verfpotjes mee. 'Ik wil een bord voor de stal met kamelen erop.'

'Hoeveel?'

'Zoveel als erop passen, minstens tien.'

Ik doopte een kwast in een pot en begon meteen te schilderen. Moeilijk was het wel.

Te veel verf aan de kwast.

Uitschieten.

Kleuren door elkaar.

Spetters en vlekken.

Wegvegen...

Na een tijdje zat ik onder de verf, maar de plank ook. Ik hield hem omhoog. De kamelen stonden erop, en ook de jockeys: Zareena, Zahid, Javed...

'Klaar?' Asnar bekeek wat ik geschilderd had.

Knap hè, dacht ik trots.

Maar Asnar was woest. 'Wat doen die jockeys daar? Een bord met kamelen had ik gezegd, zonder verdere versiering.' Met zijn duimen poetste hij alle kinderen weg.

We werden schaduwen.

Onzichtbaar.

Niets.

Op de achterkant moest ik opnieuw beginnen. Ik tekende eerst alles met potlood. De verf rook lekker, de kwast was zacht en schilderen was leuker dan werken.

De kamelen lukten veel beter. Asnar was ook tevreden toen hij het zag. 'Misschien kunnen we een handeltje beginnen.'

'Mooi!' zei Zareena.

'Net echt,' zei Javed.

Ik voelde me geweldig, helemaal toen Sajib het bord met een touw aan de poort hing. Míjn schilderij!

'Stinkerd,' zei Sajib zacht toen hij klaar was.

'Waarom?'

'Achterop...'

'Sst!' siste ik. Asnar mocht niet weten dat ik alle uitgewiste jockeys weer op de achterkant gezet had, met bloedrode helmen op. Mijn hand deed het zomaar vanzelf. Ik liet de kwast bewegen. Zonder nadenken schilderde ik een neus, een kin, twee ogen...

Ik snap niet dat ik het durfde, maar het gaf me een machtig gevoel. Ik had ons onder die duim uit gehaald en weer een gezicht gegeven.

Het volgende festival kwam eraan. Asnar werd opgezweept
door sjeik Omar, die wilde wéér een luxe landrover win-
nen, zijn twaalfde of zo. Ik sliep nog minder dan anders.
Trainen.
Van vroeg tot laat...
'Daar worden we beter van,' zei Asnar.
Nou, hij misschien wel, ik niet. Ik had een bonkende kop-
pijn, alsof er een kudde kamelen door mijn hoofd heen
rende.
De dag voor de wedstrijd droomde ik dat mijn vader naar
de stal toe kwam. Met een enorme tang knipte hij het slot
kapot. De ketting viel in het zand.
Open de poort.
Vrij.
Hoera!
In verblindend tegenlicht stond een man. Hij riep iets
wazigs over een ruit...
'Hè, wat?'
'Óp-stáán! Er-rúít!'
Ik schrok wakker van het slaan op de ijzeren wand, de
schreeuwende stem van Asnar, de akelig knallende zweep.
En verdoofd kwam ik omhoog voor de laatste dag van de
training.

'Yalla yalla!' riep Asnar.

Het optuigen van de kamelen had veel te lang geduurd. In optocht reden we haastig de stal uit. We waren laat, daarom gooide Asnar de poort hard dicht. Iets te ruw, iets te kwaad: het touw schoot los, mijn bord met kamelen viel op de grond.

'Wacht maar!' riep Sajib.

Hij wilde het bord oprapen voordat Asnar de achterkant met de jockeys zag, maar... Asnar had het al gezien. Hij wees naar de poppetjes met de rode helmen op. 'Wist jij hiervan, Sajib?'

'Van wat?'

'Ja dus!'

'Nee! Echt niet...'

'Schurftige hond, nog liegen ook. Jij durft! Als je zo'n bord ophangt, zie je die koppen op de achterkant, dat kan niet missen.' Asnar inhaleerde diep en blies een vette rookpluim uit. 'Het is nu te laat, maar als er vandaag niet gewonnen wordt, zal ik jullie na de races nog even iets leren. Iets áfleren vooral.' Hij stapte in zijn auto en drukte hard op de toeter.

'Yalla, yalla, rijden nu!'

Ik zat te bibberen op mijn kameel, kreeg kippenvel. Ik moest als eerste eindigen, want anders... Maar die kans was heel klein: er reden zoveel kamelen mee. Ik voelde al bijna een gloeiende peuk, een schroeiende arm, een vurige wond.

'Dat waardeloze klotebord!' zei Sajib.

Stomme kwast, dacht ik, had ons maar nooit geschilderd!

Ik hoopte dat mijn vader bij de renbaan was, dat hij ons kon beschermen tegen Asnar. Maar ik zag alleen dure auto's en strenge sjeiks met brillen op.

We reden naar de hoek van het veld en stegen af. Door de luidsprekers knetterde een stem: we hadden ons voor niets gehaast, het duurde nog even voordat de eerste race begon. Asnar bracht zijn auto alvast naar de binnenbaan en toen stond ineens de fotograaf met het hoedje bij ons. Hij maakte wat foto's, haalde de camera van zijn hals en liet de plaatjes aan Sajib zien.

Sajib wees iets aan op een foto.

De fotograaf knikte.

Sajib telde één... twee...

Ik wou het ook zien en liep naar hen toe. Het was geen foto van kamelen of jockeys, maar van een auto met drie vlinders achterop. Ik keek de fotograaf aan. Hij hield zijn hand omlaag en bewoog twee vingers snel heen en weer: de beweging voor lopen. Toen wees hij naar Sajib en mij – ik snapte het niet.

'Hé, Yaqub. Yá-qub!'

Het was de jongen uit Sudan die in de stal naast ons woonde – ik wist intussen hoe hij heette: niet Eeh, maar Salih.

Hij stootte me aan.

'Ha Salih.'

'Kaif haloek?'*

Dat wist ik ook: 'Hoe gaat het?' Nou, het ging nu nog wel goed, maar vanavond, als ik niet won...

Maar zelfs als Salih me goed kon verstaan, kon ik daarover niks vertellen – hij werd naar de start geroepen, net als Javed.

Iedereen kwam in beweging.

De fotograaf liep rond: klik klik, klik-klik.
Salih lachte naar hem toen hij opsteeg. 'Iela lieka,'** riep
hij en zwaaide toen hij wegreed.
'Iela lieka,' herhaalde ik, 'tot de volgende keer, Salih.' Ik
wist toen nog niet dat ik hem nooit meer zou terugzien.

* Kaif haloek (Kayf haluk) = Hoe gaat het
** Iela lieka (Ila l-liqa) = Tot de volgende keer

5

Na de start van Javed kwam Sajib hard teruggerend.

'Yaqub,' fluisterde hij, 'ga je mee?'

'Hè?' Ik snapte hem niet.

'We kunnen vluchten.'

'Hoe dan?'

'In die auto van de foto.'

'Welke foto?'

'Die met de drie vlinders. Yalla yalla, je moet snel beslissen, maar als ik jou was ging ik mee.'

'Waarom nu?'

'De kans dat je een race wint is klein. De Peuk zal ons vanavond te pakken nemen. Dat meende hij. Ik wacht zijn sigaretten niet af. Het blijft nooit bij dreigen alleen. Wat doe je?'

Ik kon zo snel geen antwoord geven.

Mee?

Ja-nee.

Vluchten.

Straf...

Ik zag de fotograaf onze kant op kijken. Hij maakte weer die beweging met zijn vingers.

Lopen?

Nu meteen?

'Ik ga,' fluisterde Sajib. Hij gaf een duwtje tegen mijn schouder en slenterde achteloos het veld af. Bij het parkeerterrein draaide hij zich om en keek me vragend aan.

'Waar gaat hij heen?' vroeg Zareena.

'Gewoon... weg... vluchten.' Ik wilde opspringen, Sajib achterna, maar ik was bang. Er schoot van alles door mijn hoofd.

Als Asnar ons pakt is het helemaal mis!
Maar als ik blijf en de wedstrijd verlies ook.
Er is iemand die helpt met een auto!
Als ik het nú niet probeer, doe ik het nooit.
Pas na de laatste race kan Asnar gaan zoeken.
Mijn vader is in de stad.
Alleen durf ik het niet, maar samen met Sajib...
Ik legde mijn helm in het zand. 'Zareena, ik ga met Sajib mee.'
'Echt waar, durf je dat?'
'Nee, maar ik doe het toch, het moet.'
En zonder nadenken zei ze toen: 'Als jij het doet, ga ik ook!'

6

Zo onopvallend mogelijk zigzagden we tussen de kamelen
door. Ik had het gevoel dat iedereen naar ons keek. Maar
niemand had aandacht voor ons. Niemand riep 'ho' of
'kom terug', waarschijnlijk door het opgewonden
geschreeuw van de omroeper die meereed bij de race van
Javed. Nou, hier was het nog veel spannender.
Tussen de auto's wilde ik gaan rennen, maar Sajib siste:
'Rustig!'
Hij wandelde naar de rand van de weg. Daar stond een
vrachtautootje dat ik vlak daarvoor had gezien op de foto:
met achterop drie geschilderde vlinders.
Sajib keek om zich heen.

Voor: vrij.

Achter: ook.

Toen tilde hij het dekzeil omhoog. 'Snel!'

We stuiterden de laadbak in en doken weg achter dozen. Ik rook een geur die ik van vroeger kende, zo zoet...

'En nu?' fluisterde Zareena.

'Wachten, hij vertrekt zo.'

Ik had een droge mond. Mijn hart sloeg helemaal op hol toen we na een tijdje voetstappen dichterbij hoorden komen.

Jongensstemmen...

O nee hè, dacht ik, de zoontjes van sjeik Omar. Als die etters ons vinden...

Ik klemde Zareena's hand vast en durfde pas weer normaal te ademen toen het stil werd. Erg stil, omdat ook de race afgelopen was. Ik hoopte dat Javed gewonnen had, dan moest Asnar naar de prijsuitreiking, dan werd onze vlucht nog lang niet ontdekt.

Er slofte iemand door het zand, vlakbij – ik stikte van de hitte.

Een rinkelende sleutelbos – een sleutel in het slot.

Het portier ging krakend open en met een knal weer dicht – ik schrok me kapot.

De auto werd gestart en we hobbelden de weg op. Sajib trok het zeil een stukje omhoog. We flitsten over donker asfalt en zwierden om rotondes. Feestelijke bloemen schoten voorbij, knalgroen gras. Net als de eerste keer, dacht ik, maar toen zat Asnar voorin en lag Zareena in een kist.

De auto stopte een paar keer bij stoplichten, sloeg linksaf, rechtsaf, trok hard op: ik had het gevoel dat we vlogen.

'Gaan we de goede kant op?' vroeg Zareena.

'Vast wel,' zei Sajib.

Ik stak mijn hand in een doos, voelde iets glads en ineens herkende ik de geur...

'Mango's!'

We aten, nee, we vraten alle drie een overrijpe mango op, en nog een. Ze smaakten heerlijk zoet, het sap droop van mijn kin. Ook al werden we ontdekt, alleen voor die mango's had het vluchten al zin gehad, die pakte niemand ons meer af.

Na een lange rit stopte de auto in de schaduw op een binnenplaats, aan de achterkant van winkels. We hoorden de chauffeur wegsloffen.

'En nu?' fluisterde Zareena.

'Wachten,' zei Sajib.

'Waarop?'

'Op de fotograaf. Hij blijft foto's maken tot de races klaar zijn. Dan vermoedt niemand dat hij iets met onze vlucht te maken heeft.'

De zon begon op het dak van de auto te branden. Het werd warm, warmer, bloedheet: ik wilde weg, helemaal toen er een andere wagen aan kwam. Ik keek door een kiertje...

Politie!

Ik bibberde van angst en maakte me zo klein als ik kon. Bom-bang, bom-bang... Mijn hart sloeg als een trom. Dat moesten ze wel horen. En anders hadden ze het zeil wel zien bewegen; ik liet het zomaar vallen, wat stom!

Ik zat klaar om op te springen en weg te sprinten. Maar gelukkig, de politieauto maakte een rondje over de binnenplaats en reed door.

Ik voelde me niet veilig daar, helemaal niet meer toen ik bedacht dat Sajib al eerder geprobeerd had te vluchten, en wat er gebeurd was toen de waterman hem terugbracht. Dagenlang vast aan een touw en Asnar die dreigde: volgende keer verdwijn je in het niets...

Dat wilde ik niet.

'Sajib, heeft de fotograaf jou de vorige keer ook geholpen?' vroeg Zareena.

'Wel aan een auto, hij zei dat hij me snel zou ophalen daarna, maar na een tijdje vertrouwde ik het niet meer. Ik voelde me zo alleen, ik werd steeds banger. Ik dacht: die fotograaf komt niet, ik ga op zoek naar mijn oom. Dat liep toen helemaal fout af. Ik ben blij dat jullie er nu bij zijn, in je eentje wachten duurt langer.'

Ik wist niet of ik ook blij moest zijn. De tijd kroop voorbij. Ik at nog een mango.

Ik probeerde me voor te stellen dat ik thuis was, bij mama en Noor – ik kreeg kusjes, ik werd omarmd. Maar ik rook ook verbrand vlees en stinkende sigaretten, omdat ik verzon dat Asnar ons vond.

De zon stond recht boven ons toen er eindelijk weer een
auto op de binnenplaats stopte.

'Sst,' siste Sajib.

Een deur ging open.

Iemand morrelde aan het zeil.

Het ging omhoog: een kaal hoofd zonder hoed. Kom!
wenkte de fotograaf. Hij hield de achterdeur van zijn auto
open. We klommen er razendsnel in.

Ik voelde me zo veilig toen. Wij met zijn drietjes.
Onzichtbaar weggestopt achter de donkere raampjes.

'Waar brengt hij ons heen?' vroeg Zareena.

'Naar vrienden,' vertaalde Sajib.

Snel! dacht ik, scheur weg! Maar we reden juist heel rustig.
We gleden langs het dure hotel, het was veel hoger dan ik
dacht. Er stond een helikopter op het dak – zouden we...

Nee, we gingen rechtdoor, langs torenhoge gebouwen met
hijskranen erop – zou papa daar werken, wie wist waar hij
was?

Even later reden we langs water: de zee, daar kwam ik vandaan – zouden we naar de haven gaan?

Ik keek in het spiegeltje van de auto, de ogen van de fotograaf lachten vriendelijk naar mij, en ineens wist ik dat
alles goed zou komen. Aan de spiegel hing een touwtje en
aan dat touwtje hing een dolfijn.

Vanaf dat moment gebeurde er zoveel en ging alles zo snel.
Frank, de fotograaf, bracht ons naar een huis waar iedereen
aardig was.
Eten en drinken.
Onder de douche.
Splinternieuwe kleren.
Een dokter keek in mijn neus, mijn ogen, mijn oren.
Er waren spelletjes, kleurpotloden, schriften, een voetbal.
Er lag schoon papier in de kast en verf: ik mocht tekenen en
schilderen zoveel ik maar wou.
En Sana was er, een vrouw uit Pakistan, ze wilde alles van
ons weten. Hoe we naar dit land waren gekomen? Met wie?
Waar we hadden gewoond in de woestijn? Met hoeveel kin-
deren? Wie de baas was in de stal en wie de baas was van de
trainer?
Ze vroeg het allemaal wel, maar heel veel antwoorden kende
ze al, dat zag ik toen Frank mappen met foto's pakte.
'Dat ben ik!' riep Zareena, 'en dat is Yaqub!'
Honderden foto's kwamen er tevoorschijn. Van jockeys bij
de training, bij de start, bij de finish. Ook het groepje groene baby's kwam voorbij. Asnar een paar keer, sjeik Omar...
Sana schreef alle namen op. 'We willen aan zoveel mogelijk
mensen laten zien wat er hier gebeurt,' vertelde ze.
'Kindjockeys zijn bij de wet verboden, maar de emir laat die
slavernij gewoon toe. Die foto's proberen we in kranten te
krijgen, dan kunnen we misschien alle kinderen bevrijden.'
'Allemaal?'
'Dat hoop ik wel,' zei Sana. 'Iedereen terug naar zijn ouders,
dat zou prachtig zijn.'

Een paar dagen later stapten we in een vliegtuig met Sana,
Frank en nog een vrouw. Het opstijgen was spannend: de
bonkende wielen, de brullende motor. Tegen de leuning
van mijn stoel hing ik achterover. Door het raampje zag ik
hoe het land voorbijflitste. De veiligheidsriem drukte in
mijn maag.

Nog even zag ik woestijn door het raampje, daarna vooral
water. De vlucht van Dubai naar Pakistan duurde maar een paar
uur. Zo'n vliegtuig is net een hotel: een hele stoel voor
mezelf, en we kregen rijst met kip en snoep en drinken, er
was tv. Het ging veel te snel.

'Ik breng jullie thuis,' had Sana gezegd.

'Naar mama en Noor?'

'Ja.'

'En naar mijn nieuwe broertje?'

'Ook.'

'En naar papa misschien...'

'Daar moet je niet op rekenen,' zei Sana toen. 'Hij heeft een
contract voor twee jaar getekend, hij is net over de helft.'

Ik dacht weer aan wat ze had gezegd. Iemand was naar de
oom van Sajib gegaan – die had geen idee waar mijn vader
werkte, maar had wel iets over dat contract verteld. Op
allerlei bouwplaatsen was naar papa gezocht – maar hij
bleef voorlopig onvindbaar.

'Voorlopig?'

'Vroeg of laat vinden we hem wel, en dan zeggen we dat hij
zich geen zorgen hoeft te maken om jou, dat jij veilig
bent.'

'Maar ik maak me zorgen om hém. Misschien zit Asnar nu
achter hem aan, omdat ik ben ontsnapt.'

'Welnee joh...'

'Of misschien heeft sjeik Omar hem opgepakt?'

Sana's hand gleed over mijn haar. 'Geloof me Yaqub: we vinden jouw vader en we helpen hem als het nodig is.'

Ik wilde het graag geloven, maar ik vloog toch naar huis met een soort knoop in mijn hoofd: ik was wel vrij, maar papa zat nog steeds in Dubai. Of was hij ook gevlucht, net als Zareena, Sajib en ik?

Het vliegtuig wiebelde en trilde, we hingen naar voren, er
sprongen allemaal lampjes aan.
'Riemen vast.'
De motoren dreunden – ik vond het eng en moest slikken
tegen de pijn in mijn oren. Met een schok landden we op
het vliegveld van Karachi.
'Welkom thuis,' zei Sana, maar zover was het nog niet.
In een schemerige hal wachtten we tot alle tassen en
koffers op de lopende band tevoorschijn kwamen. Toen
moesten we nog langs de douane – een man graaide in de
uitpuilende koffers, ik weet niet wat hij zocht, maar het
duurde wel lang voordat alles weer was dichtgesjord.
Van iemand in een hokje kreeg ik een paar stempels in
mijn schrift, en toen reden we vanaf het vliegveld Karachi
in.
Stilstaan, optrekken, afremmen. Een kluwen riksja's, auto's
en bussen – de hele stad leek één grote renbaan.
We werden naar een flat gebracht. Sana moest van alles
regelen. Toen ze vroeg waar ik woonde had ik ons huisje
bij het meer getekend en...
'Is dat een woonboot?'
'Ja.'
'Het meer van Manchar,' zei Frank, 'kan niet missen, dat
soort schepen komt alleen daar voor.'
Iemand was met Frank naar het meer gegaan. Ze hadden
mijn moeder gevonden, en Noor, en Babu. Het was zo
vreemd om hen op Franks foto's te zien. Ze stonden voor
hetzelfde hutje als toen ik vertrok, het enige nieuwe waren
de kippen en mijn broertje. Hij leek op de andere Babu,

dacht ik. En Noor... Mijn vinger gleed over haar kromme benen op de foto.

'We zullen een dokter voor haar vinden,' zei Sana, 'anders ben je voor niks zo lang weggeweest.'

Mama, Noor en Babu wilden alle drie dat ik thuiskwam.

Noor had het op een briefje geschreven: *We wachten op je.*

Sana las het voor.

'Ga nu maar,' zei Sajib op de ochtend dat er een auto voor de deur stond.

Ik wilde Zareena en hem niet loslaten, maar het moest.

'We brengen jou als eerste terug,' zei Sana.

Zareena en Sajib bleven voorlopig in het huis in Karachi.

Niemand had nog ontdekt in welk dorp hun ouders woonden.

'Ik wou dat jullie met mij mee mochten.'

'Stap nou maar in, Yaqub.'

Frank zette een tas vol papier en potloden en verf achterin en startte de motor.

'Dag Zareena, dag Sajib.'

Ze renden een stukje met de auto mee. Toen gingen we de hoek om, door de drukte de stad uit. Ik was verdrietig en blij tegelijk, bang en gelukkig. Na vijf jaar mocht ik naar huis, maar ik raakte Zareena en Sajib kwijt.

We passeerden Sehwan, de stad van de blauwe moskee. We kwamen langs waterbuffels, velden vol graan, witte reigers. Vlak voor het meer stopten we even omdat ik moest plassen van de zenuwen.

'Nog een klein stukje, Yaqub. Gaat het?'

Er kwam geen geluid uit mijn keel en daarom knikte ik maar. Sana streek even langs mijn wang, Frank hield zijn fototoestel in de aanslag.

Het laatste stuk reden we langzamer, met de ramen open. Het gouden kettinkje voor mama gleed door mijn hand. Ik herkende de verlaten steenbakkerij – we waren er bijna. Toen hoorde ik ineens een bekend geluid langs de weg: het houten scheprad! Het knarste en kraakte. Ik keek naar rechts: de waterput! De blinde kameel liep nog steeds zijn rondjes, altijd maar door, maar bovenop zijn rug zat... Ik gooide het portier open.

'Noor!'

Krant

Het verhaal van Yaqub begint in Pakistan. Ik reisde in dat land rond om onderzoek te doen voor mijn boek *Het gouden oog*. In een Engelstalige krant zag ik een klein berichtje staan:

Baby kidnapped

From Our Correspondent

LARKANA, Jan 1: Some unidentified person on Sunday kidnapped a baby opposite railway station while she was playing near her home. Already three minors — Naved Sheikh, Naveed and Tahseem Sheikh are missing from Larkana city.

Kind ontvoerd

Van onze correspondent

LARKANA, 1 januari: Een onbekend persoon heeft zondag een kind ontvoerd. Het meisje was aan het spelen vlakbij haar huis, tegenover het treinstation. Er worden nu al drie kinderen in de stad Larkana vermist – Naved Sheikh, Naveed en Tahseem Sheikh.

Wat gebeurt er met die kinderen? vroeg ik me af. Waar gaan ze naartoe? Een antwoord op die vragen vond ik jaren later, toen ik de Nederlandse school in Dubai bezocht in 2001. Na de lessen ging ik naar de renbaan buiten de stad, en daar zag ik kinderen vanaf een jaar of drie op kamelen racen. Niet een paar, maar honderden!
Kinderslavernij in zo'n rijk land, voor iedereen zichtbaar – dat zoiets bestond, ik snapte er niks van.

Thuis zocht ik informatie over kamelenraces. Het is een populaire sport in Dubai, sommige rijke sjeiks hebben een paar duizend kamelen. Maar ook in andere landen in het Midden-Oosten zijn kamelen populair: in Saoedi-Arabië, Jemen, Qatar, Oman... De jockeys worden gekocht of ontvoerd in arme landen in Azië en Afrika.

Mensensmokkelaars liegen de ouders voor dat hun kinderen in een mooi huis terechtkomen, dat ze goed te eten krijgen en met rijke kindjes mogen spelen. Daar klopt dus niks van: iedereen wordt afgebeuld.

Ik wilde een boek over kindjockeys schrijven, maar ik kon het begin van het verhaal nergens vinden, en na een maand of vier stopte ik ermee. Ik bleef wel stukjes uit kranten verzamelen:

Douane India onderschept negen kindjockeys

CALCUTTA – De Indiase douane heeft op het vliegveld van Madras een zending van negen kinderen uit Bangladesh onderschept, die op weg waren naar Saudi-Arabië. De kinderen, tussen de vier en acht jaar oud en in het gezelschap van nepmoeders, zouden als kindjockeys worden ingezet in kamelenraces. In 1997 onderschepte India een zending van 37 kinderen. (AP)

Volkskrant 7/1/2002

Emiraten verbieden kind-ruiters op kamelen

ABU DHABI – De Verenigde Arabische Emiraten stellen paal en perk aan het deelnemen aan kamelenrennen door zeer jonge ruiters. Om een einde te maken aan alle verhalen over kinderen die worden ontvoerd uit landen als India en Pakistan om de kamelen te berijden, is nu een leeftijdsgrens ingesteld: jongens van onder de vijftien en lichter van 45 kilo mogen niet als jockey werken. (Reuters)

Volkskrant 30/7/2002

Dubai is een van de zeven Verenigde Arabische Emiraten.
Volgens een wet uit 1993 was het daar verboden om kleine
kinderen als jockey te misbruiken. Maar het ging gewoon
door, open en bloot. Tot 2005. Toen werden de kindjockeys
vervangen door... robots.
Op Nad el Sheba, de renbaan bij Dubai, racen de kamelen
nu rond met een robot op hun rug. De trainer bestuurt
hem met een afstandsbediening vanuit de auto in de binnenbaan. Hij kan de robot laten krijsen of met een zweep
laten slaan, zoals dat ook bij de jockeys gebeurde.
Toen ik over die robots las, begon ik voor de tweede keer
aan dit boek. Gek genoeg vond ik in de krant toen ook
weer stukjes over kindslaven in Dubai:

pla. ...nden. Dit ...
dag. (ANP)

Unicef redt piepjonge kamelenjockeys

NEW YORK – Unicef, het kinder-
fonds van de Verenigde Naties,
heeft een groep minderjarige kamelenjockeys weggehaald uit de
Verenigde Arabische Emiraten.
Sommigen waren pas vier. (ANP)

Volkskr. 13/8/05

Minderjarige jockeys terug naar huis gestuurd

DUBAI – Meer dan duizend minderjarige kamelenjockeys zijn te-
ruggestuurd naar hun vaderland,
hebben autoriteiten in Dubai
maandag verklaard. De Verenigde
Arabische Emiraten zijn vorig jaar
begonnen met het uitvoeren van
het verbod op minderjarige jockeys, veelal afkomstig uit Azië en
Afrika. Nu worden ook op afstand
bestuurbare robots gebruikt in de
kamelenraces. (AP)

Volkskrant 13/6/06

Meer dan duizend kinderen naar huis, dat klinkt goed. Maar er zijn waarschijnlijk wel dertigduizend kinderen misbruikt, en de meeste van die jockeys zijn nog steeds zoek. Zijn ze dood? Werken ze nu op verborgen racebanen, of in andere landen in het Midden-Oosten? Ze zijn verdwenen in het niets.

Er zijn verschillende organisaties die de kinderen proberen te helpen, bijvoorbeeld: Ansar Burney Trust – een Pakistaanse organisatie voor mensenrechten (www.ansarburney.org); ILO/IPEC – Internationaal Programma voor de Eliminatie van Kinderarbeid (www.ilo.org); en Unicef.

Kids United, de kinderclub van Unicef, zet zich ook in voor kinderrechten. Op de website www.kidsunited.nl staan de laatste nieuwtjes en acties. Ook is er veel handige informatie voor spreekbeurten en werkstukken te vinden.

Kamelenjockeys zijn maar een klein deel van de ongeveer 220 miljoen kinderen op deze wereld die worden uitgebuit en als slaaf behandeld. Die kinderen moeten werken van vroeg tot laat. Spelen is er niet bij, en een school zien ze nooit. Om aandacht voor die 220 miljoen kinderen te vragen, heeft ILO/IPEC 12 juni uitgeroepen tot 'Werelddag tegen Kinderarbeid'.

Mijn verhaal eindigt bij de thuiskomst van Yaqub. En wat gebeurt er dan? Op de dag dat ik de laatste zinnen van Yaqubs verhaal schreef, kreeg ik van iemand een krantenberichtje:

vredesmacht va...

Sjeiks aangeklaagd voor slavernij kinderjockeys

MIAMI – Zes ouders van kameeljockeys hebben de emir van Doebai en diens broer in de Verenigde Staten aangeklaagd. De twee worden ervoor verantwoordelijk gehouden dat sinds 1970 30.000 kindslaven, onder wie hun kinderen, zijn gebruikt als kameeljockeys. De kinderen zijn daarbij mishandeld en seksueel misbruikt. Volgens de aanklacht zouden jongens vanaf twee jaar zijn ontvoerd uit Zuid-Azië en Soedan om in de Verenigde Arabische Emiraten deel te nemen aan de levensgevaarlijke kamelenraces. Het gebruik van kinderen als jockeys is ook in de Emiraten zelf verboden, maar de kindslaven worden vaak tewerkgesteld op de privé-renbanen van de rijke sjeiks.

Trouw 15/9/2006

Hans Hagen

Een keuze uit het werk van Hans Hagen

Het gouden oog (1991) Zilveren Griffel 1992
Jubelientje en haar liefste oma (1991) Vlag en Wimpel 1992
Jubelientje leert lezen (1993) Getipt door de Kinderjury 1994
Jubelientje legt een ei (1995) Getipt door de Kinderjury 1996
De kat en de adelaar (1997) Zilveren Griffel 1998
Jubelientje vangt een vriendje (1997)
Jubelientje ontploft (1998) Pluim van de Maand 1998; Getipt
    door de Kinderjury 1999
Iedereeen min één (1998) Pluim van de Maand 1999
Jij bent de liefste (2000, samen met Monique Hagen) Pluim
    van de Maand 2000; Glimworm 2001; Kinderboek
    winkelprijs 2001
Jubelientje wil winnen (2000)
Ik schilder je in woorden (2001) Gouden Penseel 2002
Jubelientje speelt vals (2002) Getipt door de Kinderjury 2003
Jubelientje draaft door (2003)
Zwaantje en Lolly Londen (2003) Zilveren Griffel 2004
De dans van de drummers (2003) Gouden Griffel 2004
Maar jij (2004)
Wilde beesten (2004)
Jubelientje pakt uit (2005)
Het paardenboek (2005, samen met Monique Hagen)
Jubelientje wordt wild (2006)
Lichtjes in je ogen (2006, samen met Monique Hagen)
Van mij en van jou (2007, samen met Monique Hagen)

www.hanshagen.nl
www.queridokind.nl

STICHTING NEDERLANDSE
KINDERJURY
2008

Dit boek kwam mede tot stand dankzij een werkbeurs van het
Fonds voor de Letteren.

Boekverzorging Steef Liefting

ISBN 978 90 451 0560 4 / NUR 283